하 루 10분 서 술 형 / 문 장 제 학 습 지

수학 독해

C1

덧셈과 뺄셈

초3~초4

Creative to Math

수학독해 : 수학을 스스로 읽고 해결하다

객관식이나 간단한 단답형 문제는 자신 있는데 긴 문장이나 풀이 과정을 쓰라는 문제는 어려워하는 아이들이 있어요. 빠르고 정확하게 연산하고 교과 응용문제까지도 곧잘 풀어내지만, 문제 속 상황이 약간만 복잡해지면 문제를 풀려고도 하지 않는 아이들도 많아요. 이러한 아이들에게 부족한 것은 연산 능력이나 문제 해결력보다는 독해력과 표현력입니다. 특히 수학적 텍스트를 이해하고 표현하는 능력, 즉 수학 독해력이지요.

요즘 아이들의 독해력이 약해진 가장 큰 이유는 과거에 비해 이야기를 만나는 방식이 다양해졌기 때문이에요. 예전에는 대부분 말이나 글로써만 이야기를 접했어요. 텍스트 위주로 여러 가지 사건을 간접 체험하고, 머릿 속으로 상황을 그려내는 훈련이 자연스럽게 이루어졌지요. 반면 요즘 아이들은 글보다도 TV나 스마트폰 등 영상매체에 훨씬 빨리, 자주 노출되기에 글을 통해 상상을 할 필요가 점점 없어지게 되었습니다.

그렇다고 아이들에게 어렸을 때부터 영화나 애니메이션을 못 보게 하고 책만 읽게 하는 것은 바람직하지 않고, 가능하지도 않아요. 시각 매체는 그 자체로 많은 장점이 있기 때문에 지금의 아이들은 예전 세대에 비해 이미지에 대한 이해력과 적용력이 매우 뛰어나답니다. 문제는 아직까지 모든 학습과 평가 방식이 여전히 텍스트 위주이기 때문에 지금도 아이들에게 독해력이 중요하다는 점이에요. 그래서 저희는 영상 매체에는 익숙하지만 말이나 글에는 약한 아이들을 위한 새로운 수학 독해력 향상 프로그램인 씨투엠 수학독해를 기획하게 되었어요.

씨투엠 수학독해는 기존 문장제/서술형 교재들보다 더욱 쉽고 간단한 학습법을 보여주려 해요. 문제에 있는 문장과 표현 하나하나마다 따로 접근하여 아이들이 어려워하는 포인트를 찾고, 각 포인트마다 직관적인 활동을 통해 독해력과 표현력을 차근차근 끌어올리려고 합니다. 또한 문제 이해와 풀이 서술 과정을 단계별로 세세하게 나누어 문장제, 서술형 문제를 부담 없이 체계적으로 연습할 수 있어요. 새로운 문장제 학습법인 씨투엠 수학독해가 문장제 문제에 특히 어려움을 겪고 있거나 앞으로 서술형 문제를 좀 더 잘 대비하고 싶은 아이들에게 큰 도움이 될 것이라 자신합니다.

수학독해의 구성과 특징

- 매일 부담없이 2쪽씩, 하루 10분 문장제 학습
- 매주 5일간 단계별 활동, 6일차는 중요 문장제 확인학습
- 5회분의 진단평가로 테스트 및 복습

주차별 구성

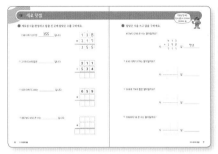

일일학습

꼬마 수학자들의
간단한 팁과 함께
매일 새롭게 만나는
단계별 문장제 활동

확인학습

중요 문장제 활동을
다시 한번 확인하며
주차 학습 마무리

1 주 차	1일	2일	3일	4일	5일	확인학습
	6쪽 ~ 7쪽	8쪽 ~ 9쪽	10쪽 ~ 11쪽	12쪽 ~ 13쪽	14쪽 ~ 15쪽	16쪽 ~ 18쪽

2 주 차	1일	2일	3일	4일	5일	확인학습
	20쪽 ~ 21쪽	22쪽 ~ 23쪽	24쪽 ~ 25쪽	26쪽 ~ 27쪽	28쪽 ~ 29쪽	30쪽 ~ 32쪽

3 주 차	1일	2일	3일	4일	5일	확인학습
	34쪽 ~ 35쪽	36쪽 ~ 37쪽	38쪽 ~ 39쪽	40쪽 ~ 41쪽	42쪽 ~ 43쪽	44쪽 ~ 46쪽

4 주 차	1일	2일	3일	4일	5일	확인학습
	48쪽 ~ 49쪽	50쪽 ~ 51쪽	52쪽 ~ 53쪽	54쪽 ~ 55쪽	56쪽 ~ 57쪽	58쪽 ~ 60쪽

진단평가 구성

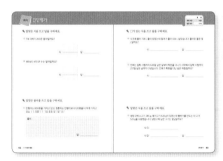

진단평가

4주 간의 문장제 학습에서 부족한 부분을
확인하고 복습하기 위한 자가 진단 테스트

진 단 평 가	1회	2회	3회	4회	5회
	62쪽 ~ 63쪽	64쪽 ~ 65쪽	66쪽 ~ 67쪽	68쪽 ~ 69쪽	70쪽 ~ 71쪽

이 책의 차례

1주차

세 자리 덧셈

✿ 세로셈 식을 완성하고 밑줄 친 곳에 알맞은 수를 구하세요.

138 더하기 217은 ___**355**___ 입니다.

```
      1
  1  3  8
+ 2  1  7
─────────
  3  5  5
```

① 211과 534의 합은 _____ 입니다.

```
  2  1  1
+ 5  3  4
─────────
```

② 659 더하기 244는 _____ 입니다.

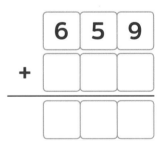

③ 887보다 450 큰 수는 _____ 입니다.

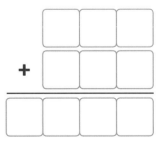

덧셈을 할 때는 받아올림에 주의하며 계산해야 해.

✿ 알맞은 식을 쓰고 답을 구하세요.

413보다 298 큰 수는 얼마일까요?

식 :
```
    4  1  3
 +  2  9  8
    7  1  1
```
답 : __711__

① 630 더하기 179는 얼마일까요?

식 : _____ 답 : _____

② 508과 774의 합은 얼마일까요?

식 : _____ 답 : _____

③ 936보다 56 큰 수는 얼마일까요?

식 : _____ 답 : _____

2일 늘어난 값

🎨 알맞은 식을 쓰고 답을 구하세요.

농장에서 어제까지 딴 귤은 ⟨634⟩개였는데 오늘 ⟨117⟩개를 더 땄습니다. 농장에서 오늘까지 딴 귤은 몇 개일까요?

(오늘까지 딴 귤)
= (어제까지 딴 귤) + (오늘 딴 귤)
= 634 + 117

식 :
$$\begin{array}{r} 6\ 3\ 4 \\ +\ 1\ 1\ 7 \\ \hline 7\ 5\ 1 \end{array}$$

답 : __751개__

① 주차장에 자동차가 240대 있었는데 95대가 더 왔습니다. 주차장에 있는 자동차는 몇 대일까요?

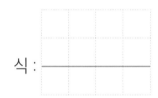

식 : _____ 답 : _____

② 현아는 색종이를 805장 가지고 있었는데 277장을 더 샀습니다. 현아가 가진 색종이는 몇 장일까요?

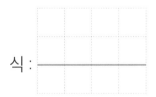

식 : _____ 답 : _____

③ 한 달 전 나무의 높이는 122 cm였는데 한 달 동안 98 cm 더 자랐습니다. 나무의 높이는 몇 cm일까요?

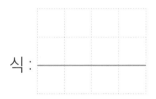

식 : _____ 답 : _____

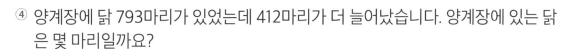
원래 값에서 늘어난 값을 구하는 덧셈식을 만들어야 해.

④ 양계장에 닭 793마리가 있었는데 412마리가 더 늘어났습니다. 양계장에 있는 닭은 몇 마리일까요?

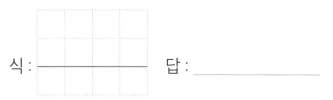

식 : _____ 답 : _____

⑤ 영화관에 관객이 245명 있었는데 307명이 더 입장하였습니다. 영화관에 있는 관객은 몇 명일까요?

식 : _____ 답 : _____

⑥ 로아는 우표를 321장 가지고 있었는데 171장을 더 모았습니다. 로아가 모은 우표는 몇 장일까요?

식 : _____ 답 : _____

⑦ 저금통에 동전이 239개 들어 있었는데 135개를 더 집어넣었습니다. 저금통에 있는 동전은 몇 개일까요?

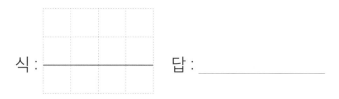

식 : _____ 답 : _____

3일 더 많은 값

알맞은 식을 쓰고 답을 구하세요.

공원에 까치가 205마리 있고, 비둘기는 까치보다 155마리 더 많습니다. 공원에 있는 비둘기는 몇 마리일까요?

(비둘기의 수)
= (까치의 수) + (까치보다 더 많은 수)
= 205 + 155

식 :

	2	0	5
+	1	5	5
	3	6	0

답 : 360마리

① 과일 가게에 복숭아는 418개 있고, 사과는 복숭아보다 230개 더 많습니다. 과일 가게에 있는 사과는 몇 개일까요?

식 :　　　　답 :

② 도서관에 시집이 720권 있고, 잡지는 시집보다 481권 더 많습니다. 도서관에 있는 잡지는 몇 권일까요?

식 :　　　　답 :

③ 종이학을 아린이는 357마리 접었고, 아현이는 아린이보다 123마리 더 접었습니다. 아현이가 접은 종이학은 몇 마리일까요?

식 :　　　　답 :

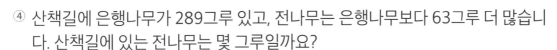

④ 산책길에 은행나무가 289그루 있고, 전나무는 은행나무보다 63그루 더 많습니다. 산책길에 있는 전나무는 몇 그루일까요?

식 : _____ 답 : _____

⑤ 경아는 줄넘기를 193번 넘었고, 혜진이는 경아보다 122번 더 넘었습니다. 혜진이가 넘은 줄넘기는 몇 번일까요?

식 : _____ 답 : _____

⑥ 마트에 메추리알이 643개 있고, 달걀은 메추리알보다 585개 더 많습니다. 마트에 있는 달걀은 몇 개일까요?

식 : _____ 답 : _____

⑦ 옷 가게에서 일주일 동안 판 바지는 255벌이고, 치마는 바지보다 212벌 더 팔았습니다. 옷 가게에서 판 치마는 몇 벌일까요?

식 : _____ 답 : _____

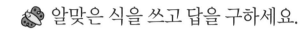 알맞은 식을 쓰고 답을 구하세요.

신발 가게에 운동화가 ⟨390⟩켤레, 구두가 ⟨443⟩켤레 있습니다. 신발 가게에 있는 신발은 모두 몇 켤레일까요?

(신발의 수)
= (운동화의 수) + (구두의 수)
= 390 + 443

식 :
$$\begin{array}{r} 3\ 9\ 0 \\ +\ 4\ 4\ 3 \\ \hline 8\ 3\ 3 \end{array}$$

답 : **833켤레**

① 빵 장수가 붕어빵을 139개, 풀빵을 277개 만들었습니다. 빵 장수가 만든 빵은 모두 몇 개일까요?

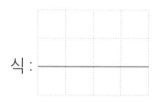

식 : _____ 답 : _____

② 창고에 쌀이 440 kg, 밀이 518 kg 있습니다. 창고에 있는 곡식은 모두 몇 kg일까요?

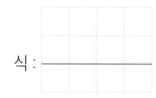

식 : _____ 답 : _____

③ 운동장에 여학생이 566명, 남학생이 719명 있습니다. 운동장에 있는 학생은 모두 몇 명일까요?

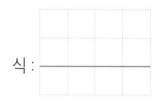

식 : _____ 답 : _____

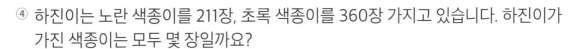

④ 하진이는 노란 색종이를 211장, 초록 색종이를 360장 가지고 있습니다. 하진이가 가진 색종이는 모두 몇 장일까요?

식 : _____ 답 : _____

⑤ 아람이는 도토리를 672개 주웠고, 다람이는 637개 주웠습니다. 두 사람이 주운 도토리는 모두 몇 개일까요?

식 : _____ 답 : _____

⑥ 집에서 마트까지의 거리는 568 m이고, 마트에서 공원까지는 185 m입니다. 집에서 마트를 거쳐 공원까지 가는 거리는 몇 m일까요?

식 : _____ 답 : _____

⑦ 동물 농장에 소 129마리와 돼지 291마리가 있습니다. 동물 농장에 있는 동물은 모두 몇 마리일까요?

식 : _____ 답 : _____

✿ 알맞은 풀이를 쓰고 답을 구하세요.

주차장에 오토바이가 127대 있고, 자동차는 오토바이보다 265대 더 많습니다. 주차장에 있는 자동차는 몇 대일까요?

풀이 : (자동차의 수)
= (오토바이의 수) + (오토바이보다 더 많은 수)
= 127 + 265 = 392(대)

답 : __392대__

① 공원에 참새가 258마리 있었는데 43마리가 더 날아왔습니다. 공원에 있는 참새는 몇 마리일까요?

풀이 :

답 : _____

② 박물관에 어른이 445명, 어린이가 615명 입장하였습니다. 박물관에 입장한 사람은 모두 몇 명일까요?

풀이 :

답 : _____

③ 도서관에 책이 521권 있었는데 204권을 더 샀습니다. 도서관에 있는 책은 몇 권일까요?

풀이 :

답 : _____

④ 냉장고에 돼지고기 345 g과 소고기 710 g이 있습니다. 냉장고에 있는 고기는 모두 몇 g일까요?

풀이 :

답 : _____

⑤ 현준이가 가진 돈은 520원이고, 수연이가 가진 돈은 현준이보다 290원 더 많습니다. 수연이가 가진 돈은 얼마일까요?

풀이 :

답 : _____

✎ 알맞은 식을 쓰고 답을 구하세요.

① 435와 617의 합은 얼마일까요?

식 : —————————   답 : —————————

② 244보다 489 큰 수는 얼마일까요?

식 : —————————   답 : —————————

✎ 알맞은 식을 쓰고 답을 구하세요.

③ 호수에 철새가 360마리 있었는데 378마리가 더 날아왔습니다. 호수에 있는 철새는 몇 마리일까요?

식 : —————————   답 : —————————

④ 연서는 소설책을 127쪽 읽었는데 88쪽을 더 읽었습니다. 연서가 읽은 소설책은 몇 쪽일까요?

식 : —————————   답 : —————————

✎ 알맞은 식을 쓰고 답을 구하세요.

⑤ 문구점에 샤프가 517자루 있고, 볼펜은 샤프보다 392자루 더 많습니다. 문구점에 있는 볼펜은 몇 자루일까요?

식 : _____ 답 : _____

⑥ 혜렴이네 학교 학생은 673명이고, 명은이네 학교 학생은 혜렴이네 학교 학생보다 93명 더 많습니다. 명은이네 학교 학생은 몇 명일까요?

식 : _____ 답 : _____

✎ 알맞은 식을 쓰고 답을 구하세요.

⑦ 2019년은 365일이고, 2020년은 366일입니다. 2019년과 2020년은 모두 며칠 일까요?

식 : _____ 답 : _____

⑧ 호수에 두루미가 88마리, 오리가 935마리 있습니다. 호수에 있는 새는 모두 몇 마리일까요?

식 : _____ 답 : _____

🖊 알맞은 풀이를 쓰고 답을 구하세요.

⑨ 마음이는 스티커를 405장 가지고 있었는데 239장 더 모았습니다. 마음이가 모은 스티커는 몇 장일까요?

풀이 :

답 : _____

⑩ 정원에 장미가 441송이, 백합이 219송이 피어 있습니다. 정원에 핀 꽃은 모두 몇 송이일까요?

풀이 :

답 : _____

⑪ 만화책은 155쪽까지 있고, 소설책은 만화책보다 198쪽 더 많습니다. 소설책은 몇 쪽일까요?

풀이 :

답 : _____

✿ 세로셈 식을 완성하고 밑줄 친 곳에 알맞은 수를 구하세요.

828 빼기 365는 <u>463</u> 입니다.

```
    7  10
    8  2  8
 -  3  6  5
 ─────────
    4  6  3
```

① 412보다 107 작은 수는 _____ 입니다.

```
    4  1  2
 -  1  0  7
 ─────────

```

② 380과 725의 차는 _____ 입니다.

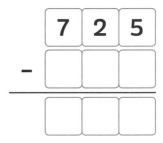

③ 963보다 704 작은 수는 _____ 입니다.

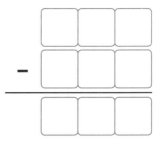

뺄셈을 할 때는 받아내림에 주의하며 계산해야 해.

✿ 알맞은 식을 쓰고 답을 구하세요.

636과 199의 차는 얼마일까요?

식 :
```
    6 3 6
  - 1 9 9
    4 3 7
```
답 : 437

① 510 빼기 386은 얼마일까요?

식 : _____ 답 : _____

② 725보다 125 작은 수는 얼마일까요?

식 : _____ 답 : _____

③ 271과 900의 차는 얼마일까요?

식 : _____ 답 : _____

🐞 알맞은 식을 쓰고 답을 구하세요.

길이가 ⟨324⟩cm인 색 테이프 중 ⟨175⟩cm를 사용했습니다. 남은 색 테이프는 몇 cm
일까요?

(남은 길이)
= (원래 길이) – (사용한 길이)
= 324 – 175

식 :
```
    3 2 4
  - 1 7 5
    1 4 9
```
답 : __149 cm__

① 마트에 달걀 720개가 있었는데 485개를 팔았습니다. 마트에 남은 달걀은 몇 개
일까요?

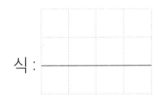

식 : _____   답 : _____

② 호준이는 색종이 495장을 가지고 있었는데 188장을 사용했습니다. 호준이에게
남은 색종이는 몇 장일까요?

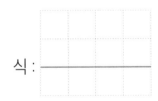

식 : _____   답 : _____

③ 자루에 콩이 808개 들어 있었는데 215개를 먹었습니다. 자루에 남은 콩은 몇 개
일까요?

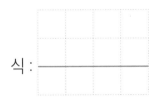

식 : _____   답 : _____

④ 메이는 900원을 가지고 있었는데 딱풀을 사는 데 770원을 썼습니다. 메이에게 남은 돈은 얼마일까요?

식 : _____   답 : _____

⑤ 자전거 보관소에 자전거가 272대 있었는데 186대가 빠져나갔습니다. 자전거 보관소에 남은 자전거는 몇 대일까요?

식 : _____   답 : _____

⑥ 냉장고에 있던 음료수 550 mL 중 235 mL를 마셨습니다. 냉장고에 남은 음료수는 몇 mL일까요?

식 : _____   답 : _____

⑦ 경기장 입구에 610명이 줄을 서 있었는데 429명이 경기장에 입장하였습니다. 경기장 입구에 남은 사람은 몇 명일까요?

식 : _____   답 : _____

🐝 알맞은 식을 쓰고 답을 구하세요.

불곰의 무게는 ⟨275⟩kg이고, 반달곰은 불곰보다 ⟨180⟩kg 더 가볍습니다. 반달곰은 몇 kg일까요?

(반달곰 무게)
= (불곰 무게) − (불곰보다 가벼운 무게)
= 275 − 180

식 :

답 : __95 kg__

① 연아네 학교에 여학생은 377명이고, 남학생은 여학생보다 85명 더 적습니다. 연아네 학교에 다니는 남학생은 몇 명일까요?

식 : _____   답 : _____

② 동물원에 사슴이 461마리 있고, 낙타는 사슴보다 350마리 더 적습니다. 동물원에 있는 낙타는 몇 마리일까요?

식 : _____   답 : _____

③ 고속도로 휴게소에 땅콩과자가 830개 있고, 호두과자는 땅콩과자보다 342개 더 적습니다. 고속도로 휴게소에 있는 호두과자는 몇 개일까요?

식 : _____   답 : _____

④ 김밥집에 야채김밥 353줄이 있고, 참치김밥은 야채김밥보다 59줄 더 적게 있습니다. 김밥집에 있는 참치김밥은 몇 줄일까요?

식 : ＿＿＿＿＿＿　　답 : ＿＿＿＿＿＿＿

⑤ 식물원에 장미가 711송이 피어 있고, 튤립은 장미보다 309송이 더 적게 피어 있습니다. 식물원에 피어 있는 튤립은 몇 송이일까요?

식 : ＿＿＿＿＿＿　　답 : ＿＿＿＿＿＿＿

⑥ 기현이는 구슬 529개를 모았고, 나연이는 기현이보다 구슬을 130개 더 적게 모았습니다. 나연이가 모은 구슬은 몇 개일까요?

식 : ＿＿＿＿＿＿　　답 : ＿＿＿＿＿＿＿

⑦ 파란색 색종이가 690장 있고, 빨간색 색종이는 파란색 색종이보다 175장 더 적습니다. 빨간색 색종이는 몇 장일까요?

식 : ＿＿＿＿＿＿　　답 : ＿＿＿＿＿＿＿

알맞은 식을 쓰고 답을 구하세요.

들판에 까마귀 389마리와 까치 503마리가 있습니다. 들판에 있는 까치는 까마귀보다 몇 마리 더 많을까요?

(까마귀 수와 까치 수의 차)
= (까치의 수) − (까마귀의 수)
= 503 − 389

식 :
$$\begin{array}{r} 5\ 0\ 3 \\ -\ 3\ 8\ 9 \\ \hline 1\ 1\ 4 \end{array}$$

답 : 114마리

① 과일 가게에 사과가 686개, 배가 273개 있습니다. 과일 가게에 있는 사과는 배보다 몇 개 더 많을까요?

식 : _____ 답 : _____

② 미루나무의 키는 520 cm이고, 은행나무의 키는 235 cm입니다. 미루나무는 은행나무보다 몇 cm 더 클까요?

식 : _____ 답 : _____

③ 놀이 공원에 남자 아이는 427명, 여자 아이는 495명 있습니다. 놀이 공원에 있는 여자 아이는 남자 아이보다 몇 명 더 많을까요?

식 : _____ 답 : _____

④ 냉장고에 우유 875 mL와 주스 495 mL가 있습니다. 냉장고에 있는 우유는 주스보다 몇 mL 더 많을까요?

식 : 　　　답 : _____

⑤ 민진이는 줄넘기를 236번 넘었고, 승혜는 177번 넘었습니다. 민진이는 줄넘기를 승혜보다 몇 번 더 넘었을까요?

식 : 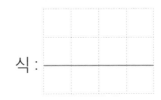　　　답 : _____

⑥ 문구점에서 볼펜을 920원, 지우개를 350원에 팔고 있습니다. 문구점에서 파는 볼펜은 지우개보다 얼마 더 비쌀까요?

식 : 　　　답 : _____

⑦ 빵집에 슈크림빵 268개와 단팥빵 535개가 있습니다. 빵집에 있는 단팥빵은 슈크림빵보다 몇 개 더 많을까요?

식 : 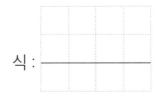　　　답 : _____

✿ 알맞은 풀이를 쓰고 답을 구하세요.

소연이는 (750)원을 가지고 있었는데 (590)원을 썼습니다. 소연이에게 남은 돈은 얼마일까요?

풀이 : (남은 돈)
= (원래 가지고 있던 돈) – (쓴 돈)
= 750 – 590 = 160(원)

답 : __160원__

① 신발 가게에 구두가 329켤레, 운동화가 874켤레 있습니다. 신발 가게에 있는 운동화는 구두보다 몇 켤레 더 많을까요?

풀이 :

답 : _____

② 햄버거를 만드는 데 소고기 485 g이 필요하고, 돼지고기는 소고기보다 190 g 더 적게 필요합니다. 햄버거를 만드는 데 필요한 돼지고기는 몇 g일까요?

풀이 :

답 : _____

③ 아빠의 키는 182 cm이고, 동생은 아빠보다 59 cm 더 작습니다. 동생의 키는 몇 cm일까요?

풀이 :

답 : _____

④ 학교에 학생이 823명 있었는데 487명이 집으로 갔습니다. 학교에 남은 학생은 몇 명일까요?

풀이 :

답 : _____

⑤ 주하네 집에는 볼펜 204자루와 연필 58자루가 있습니다. 주하네 집에 있는 볼펜은 연필보다 몇 자루 더 많을까요?

풀이 :

답 : _____

✏️ 알맞은 식을 쓰고 답을 구하세요.

① 315보다 49 작은 수는 얼마일까요?

식 : _____   답 : _____

② 885 빼기 439는 얼마일까요?

식 : _____   답 : _____

✏️ 알맞은 식을 쓰고 답을 구하세요.

③ 과수원에 사과 747개가 열려 있었는데 그중 558개를 땄습니다. 과수원에 남은 사과는 몇 개일까요?

식 : _____   답 : _____

④ 학교 도서관에 전집 215권이 있었는데 그중 108권은 빌려갔습니다. 학교 도서관에 남은 전집은 몇 권일까요?

식 : _____   답 : _____

✎ 알맞은 식을 쓰고 답을 구하세요.

⑤ 효진이가 가진 돈은 540원이고, 원희가 가진 돈은 효진이보다 130원 더 적습니다. 원희가 가진 돈은 얼마일까요?

식 : _____ 답 : _____

⑥ 이번 달에 동물 병원에 온 강아지는 764마리였고, 고양이는 강아지보다 158마리 더 적게 왔습니다. 동물 병원에 온 고양이는 몇 마리일까요?

식 : _____ 답 : _____

✎ 알맞은 식을 쓰고 답을 구하세요.

⑦ 고은이는 도토리를 515개 주웠고, 현호는 233개 주웠습니다. 고은이가 주운 도토리는 현호보다 몇 개 더 많을까요?

식 : _____ 답 : _____

⑧ 주차장에 버스가 125대, 트럭이 699대 있습니다. 주차장에 있는 트럭은 버스보다 몇 대 더 많을까요?

식 : _____ 답 : _____

✏️ 알맞은 풀이를 쓰고 답을 구하세요.

⑨ 마트에 메추리알이 227개 있고, 달걀은 785개 있습니다. 마트에 있는 달걀은 메추리알보다 몇 개 더 많을까요?

풀이 :

답 : _____

⑩ 동우는 스티커를 501장 모았고, 성민이는 동우보다 스티커를 380장 더 적게 모았습니다. 성민이가 모은 스티커는 몇 장일까요?

풀이 :

답 : _____

⑪ 울타리 안에 양이 490마리 있었는데 245마리가 밖으로 나갔습니다. 울타리 안에 남은 양은 몇 마리일까요?

풀이 :

답 : _____

3주차

어떤 수 구하기

❀ □가 있는 식을 쓰고 답을 구하세요.

어떤 수에 222를 더했더니 359가 되었습니다. 어떤 수는 얼마일까요?

식 : 　　　답 : **137**

① 어떤 수와 173의 합은 508입니다. 어떤 수는 얼마일까요?

식 : _____　　　답 : _____

② 어떤 수에 309를 더했더니 726이 되었습니다. 어떤 수는 얼마일까요?

식 : _____　　　답 : _____

③ 어떤 수보다 98 큰 수는 631입니다. 어떤 수는 얼마일까요?

식 : _____　　　답 : _____

원래 있던 것이나 비교가 되는 것이 네모인 덧셈 상황이야.

❀ □가 있는 식을 쓰고 답을 구하세요.

연못에 오리 ⟨121⟩마리가 더 날아와서 ⟨450⟩마리가 되었습니다. 연못에 원래 있던 오리는 몇 마리였을까요?

식 : __□+121=450__   답 : __329마리__

450 - 121 = □

① 노란색 색종이는 빨간색 색종이보다 415장 더 많은 789장입니다. 빨간색 색종이는 몇 장일까요?

식 : _____   답 : _____

② 강당에 학생 239명이 더 들어와서 학생 수가 386명이 되었습니다. 강당에 원래 있던 학생은 몇 명이었을까요?

식 : _____   답 : _____

③ 주차장에 자동차는 오토바이보다 370대 더 많은 940대 있습니다. 주차장에 있는 오토바이는 몇 대일까요?

식 : _____   답 : _____

□가 있는 식을 쓰고 답을 구하세요.

375와 어떤 수의 합은 525입니다. 어떤 수는 얼마일까요?

식 : $375 + \boxed{} = 525$ 답 : _____150_____

525 - 375 = □

① 193에 어떤 수를 더했더니 404가 되었습니다. 어떤 수는 얼마일까요?

식 : _____   답 : _____

② 274보다 어떤 수만큼 더 큰 수는 723입니다. 어떤 수는 얼마일까요?

식 : _____   답 : _____

③ 855와 어떤 수의 합은 971입니다. 어떤 수는 얼마일까요?

식 : _____   답 : _____

늘어나거나 더 많은 것이 네모인 덧셈 상황이야.

☕ □가 있는 식을 쓰고 답을 구하세요.

정원에 장미 (184)송이가 피어 있고, 튤립은 장미보다 더 많은 (420)송이가 피어 있습니다. 정원에 피어 있는 튤립은 장미보다 몇 송이 더 많습니까?

식 : **184+□=420**   답 : **236송이**

420 - 184 = □

① 진호는 350원을 가지고 있는데 810원을 모으려고 합니다. 진호가 더 모아야 하는 돈은 얼마일까요?

식 : _____   답 : _____

② 운동장에 남학생 432명을 포함하여 학생이 모두 864명 있습니다. 운동장에 있는 여학생은 몇 명일까요?

식 : _____   답 : _____

③ 과일 가게에 복숭아는 563개 있고, 사과는 더 많은 627개 있습니다. 과일 가게에 있는 사과는 복숭아보다 몇 개 더 많을까요?

식 : _____   답 : _____

🐝 □가 있는 식을 쓰고 답을 구하세요.

어떤 수보다 88 작은 수는 200입니다. 어떤 수는 얼마일까요?

식 : <u>□-88=200</u>　　　　답 : <u>288</u>

200 + 88 = □

① 어떤 수에서 330을 뺐더니 391이 되었습니다. 어떤 수는 얼마일까요?

식 : _____　　　답 : _____

② 어떤 수보다 595 작은 수는 123입니다. 어떤 수는 얼마일까요?

식 : _____　　　답 : _____

③ 어떤 수에서 213을 뺐더니 227이 되었습니다. 어떤 수는 얼마일까요?

식 : _____　　　답 : _____

원래 있던 것이나
비교가 되는 것이 네모
인 뺄셈 상황이야.

🐝 □가 있는 식을 쓰고 답을 구하세요.

공원에 비둘기가 참새보다 425마리 더 적은 330마리 있습니다. 공원에 있는 참새는 몇 마리일까요?

식 : __□-425=330__   답 : __755마리__

330 + 425 = □

① 전나무의 키는 플라타너스보다 171 cm 더 작은 645 cm입니다. 플라타너스의 키는 몇 cm일까요?

식 : _____   답 : _____

② 빵집에서 빵 266개를 팔고 54개가 남았습니다. 빵집에 원래 있던 빵은 몇 개였을까요?

식 : _____   답 : _____

③ 학교에 있던 학생들 중 700명이 집으로 가서 136명이 남았습니다. 학교에 원래 있던 학생은 몇 명이었을까요?

식 : _____   답 : _____

🎨 □가 있는 식을 쓰고 답을 구하세요.

841에서 어떤 수를 뺐더니 540이 되었습니다. 어떤 수는 얼마일까요?

식 : $841 - \square = 540$ 답 : 301

841 - 540 = □

① 694에서 어떤 수를 뺐더니 128이 되었습니다. 어떤 수는 얼마일까요?

식 : _____   답 : _____

② 408보다 어떤 수만큼 작은 수는 328입니다. 어떤 수는 얼마일까요?

식 : _____   답 : _____

③ 722보다 어떤 수만큼 작은 수는 411입니다. 어떤 수는 얼마일까요?

식 : _____   답 : _____

줄어든 수나 더 적은 수가 네모인 뺄셈 상황이야.

🎨 □가 있는 식을 쓰고 답을 구하세요.

과수원에 있는 사과 530개 중 몇 개를 따고 246개가 남았습니다. 과수원에서 딴 사과는 몇 개일까요?

식 : **530-□=246**   답 : **284개**

530 - 246 = □

① 흰 바둑돌은 921개 있고, 검은 바둑돌은 더 적은 677개 있습니다. 검은 바둑돌은 흰 바둑돌보다 몇 개 더 적을까요?

식 : _____   답 : _____

② 민진이가 550원을 가지고 있었는데 아이스크림을 사고 나니 170원이 남았습니다. 아이스크림은 얼마일까요?

식 : _____   답 : _____

③ 우민이가 학교에서 공원까지의 거리 815 m 중 얼마만큼 걸어갔더니 공원까지 399 m 남았습니다. 우민이가 걸어간 거리는 몇 m일까요?

식 : _____   답 : _____

❀ 잘못된 계산을 보고 올바르게 계산한 값을 구하세요.

어떤 수에서 240을 빼야 할 것을 잘못하여 더했더니 625가 되었습니다. 올바르게 계산한 값은 얼마일까요?

식 ① : $\square + 240 = 625$ 어떤 수 : 385
625 − 240 = $\square$
식 ② : $385 - 240 = 145$ 답 : 145

① 어떤 수에 107을 더해야 할 것을 잘못하여 뺐더니 431이 되었습니다. 올바르게 계산한 값은 얼마일까요?

식 ① : _____   어떤 수 : _____

식 ② : _____   답 : _____

② 어떤 수에서 96을 빼야 할 것을 잘못하여 더했더니 888이 되었습니다. 올바르게 계산한 값은 얼마일까요?

식 ① : _____   어떤 수 : _____

식 ② : _____   답 : _____

③ 어떤 수에 315를 더해야 할 것을 잘못하여 뺐더니 166이 되었습니다. 올바르게 계산한 값은 얼마일까요?

식 ① : _____   어떤 수 : _____

식 ② : _____   답 : _____

④ 어떤 수에서 152를 빼야 할 것을 잘못하여 더했더니 356이 되었습니다. 올바르게 계산한 값은 얼마일까요?

식 ① : _____   어떤 수 : _____

식 ② : _____   답 : _____

⑤ 어떤 수에 283을 더해야 할 것을 잘못하여 뺐더니 283이 되었습니다. 올바르게 계산한 값은 얼마일까요?

식 ① : _____   어떤 수 : _____

식 ② : _____   답 : _____

✏️ □가 있는 식을 쓰고 답을 구하세요.

① 루미가 모은 구슬은 종현이가 모은 구슬보다 575개 많은 832개입니다. 종현이가 모은 구슬은 몇 개일까요?

식 : _____   답 : _____

② 나무가 183 cm 더 자라서 키가 691 cm가 되었습니다. 나무의 원래 키는 얼마였을까요?

식 : _____   답 : _____

✏️ □가 있는 식을 쓰고 답을 구하세요.

③ 집에서 학교까지 가는 거리는 714 m이고, 집에서 학교를 거쳐 공원으로 가는 거리는 988 m입니다. 학교에서 공원으로 가는 거리는 몇 m 일까요?

식 : _____   답 : _____

④ 하진이는 우표를 244장 가지고 있었는데 몇 장을 더 모아서 450장을 가지게 되었습니다. 하진이가 더 모은 우표는 몇 장일까요?

식 : _____   답 : _____

✎ □가 있는 식을 쓰고 답을 구하세요.

⑤ 운동회에서 준비한 음료수 중 198병을 먹고 255병이 남았습니다. 운동회에서 원래 준비한 음료수는 몇 병이었을까요?

식 : _____   답 : _____

⑥ 아기 코뿔소의 무게는 엄마 코뿔소보다 445 kg 더 가벼운 450 kg입니다. 엄마 코뿔소는 몇 kg일까요?

식 : _____   답 : _____

✎ □가 있는 식을 쓰고 답을 구하세요.

⑦ 급식 시간에 아이들이 우유 863팩 중 몇 팩을 먹고 151팩이 남았습니다. 급식 시간에 아이들이 먹은 우유는 몇 팩일까요?

식 : _____   답 : _____

⑧ 농장에 돼지가 423마리 있고, 소는 더 적은 333마리 있습니다. 농장에 있는 소는 돼지보다 몇 마리 더 적을까요?

식 : _____   답 : _____

✎ 잘못된 계산을 보고 올바르게 계산한 값을 구하세요.

⑨ 어떤 수에서 169를 빼야 할 것을 잘못하여 더했더니 494가 되었습니다. 올바르게 계산한 값은 얼마일까요?

식 ① : _____ 어떤 수 : _____

식 ② : _____ 답 : _____

⑩ 어떤 수에 84를 더해야 할 것을 잘못하여 뺐더니 606이 되었습니다. 올바르게 계산한 값은 얼마일까요?

식 ① : _____ 어떤 수 : _____

식 ② : _____ 답 : _____

⑪ 어떤 수에 256을 더해야 할 것을 잘못하여 뺐더니 162가 되었습니다. 올바르게 계산한 값은 얼마일까요?

식 ① : _____ 어떤 수 : _____

식 ② : _____ 답 : _____

4주차

여러 수의 계산

✿ 알맞은 식을 쓰고 답을 구하세요.

기차에 승객 214명이 타고 있었습니다. 첫 역에서 96명이 더 타고, 다음 역에서 175명이 더 탔습니다. 기차에 타고 있는 승객은 몇 명일까요?

식 :

답 : **485명**

(첫 역의 승객 수) = (원래 승객 수) + (첫 역에서 탄 승객 수)
(다음 역의 승객 수) = (첫 역의 승객 수) + (다음 역에서 탄 승객 수)

① 혜진이는 210원을 가지고 있습니다. 혜림이는 혜진이보다 90원을 더 가지고 있고, 명은이는 혜림이보다 380원을 더 가지고 있습니다. 명은이가 가진 돈은 얼마일까요?

식 :

답 :

② 들판에 사슴이 185마리 있고, 토끼는 사슴보다 232마리 더 많습니다. 들판에 있는 토끼와 사슴은 모두 몇 마리일까요?

식 :

답 :

❀ 알맞은 식을 쓰고 답을 구하세요.

공원에 까치가 122마리 있습니다. 비둘기는 까치보다 135마리 더 많고, 참새는 비둘기보다 274마리 더 많습니다. 공원에 있는 참새는 몇 마리일까요?

식 ① : __122+135=257__

식 ② : __257+274=531__   답 : __531마리__

(비둘기의 수) = (까치의 수) + (까치보다 더 많은 수)
(참새의 수) = (비둘기의 수) + (비둘기보다 더 많은 수)

① 양계장에 달걀이 408개 있었습니다. 오전에 달걀이 295개 늘어났고, 오후에 377개 늘어났습니다. 양계장에 있는 달걀은 몇 개일까요?

식 ① : _____

식 ② : _____   답 : _____

② 진호는 칭찬 딱지를 99장 모았고, 연수는 진호보다 칭찬 딱지를 145장 더 모았습니다. 두 사람이 모은 칭찬 딱지는 모두 몇 장일까요?

식 ① : _____

식 ② : _____   답 : _____

🍪 알맞은 식을 쓰고 답을 구하세요.

지혜는 구슬을 ⟨480⟩개 가지고 있습니다. 아린이는 지혜보다 구슬을 ⟨72⟩개 더 적게 가지고 있고, 성재는 아린이보다 ⟨135⟩개 더 적게 가지고 있습니다. 성재가 가진 구슬은 몇 개일까요?

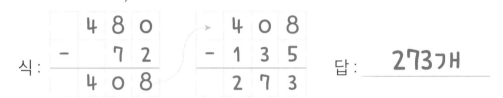

식 :
$$\begin{array}{r} 4\ 8\ 0 \\ -\ \ \ 7\ 2 \\ \hline 4\ 0\ 8 \end{array} \rightarrow \begin{array}{r} 4\ 0\ 8 \\ -\ 1\ 3\ 5 \\ \hline 2\ 7\ 3 \end{array}$$

답 : ___273개___

(아린이의 구슬 수) = (지혜의 구슬 수) − (지혜보다 더 적은 수)
(성재의 구슬 수) = (아린이의 구슬 수) − (아린이보다 더 적은 수)

① 마트에 감자가 563개 있었는데 오전에 136개, 오후에 349개 팔렸습니다. 마트에 남은 감자는 몇 개일까요?

식 : _____ _____   답 : _____

② 길이가 725 cm인 색 테이프 중 280 cm, 155 cm를 각각 사용하였습니다. 남은 색 테이프는 몇 cm일까요?

식 : _____ _____   답 : _____

빼는 두 수를 더해서 한꺼번에 빼도 결과가 같아.

 알맞은 식을 쓰고 답을 구하세요.

주차장에 자동차가 669대 있었습니다. 오전에 자동차가 305대, 오후에 187대 빠져나갔다면 주차장에 남은 자동차는 몇 대일까요?

식 ① : __669-305=364__

식 ② : __364-187=177__   답 : __177대__

(오전에 남은 자동차 수) = (원래 있던 자동차 수) – (오전에 빠져나간 자동차 수)
(오후에 남은 자동차 수) = (오전에 남은 자동차 수) – (오후에 빠져나간 자동차 수)

① 동물원에 먹이용 건초가 980 kg 있었습니다. 건초를 코끼리가 562 kg, 낙타가 224 kg 먹었다면 남은 건초는 몇 kg일까요?

식 ① : _____

식 ② : _____   답 : _____

② 식물원에 소나무가 545그루 있습니다. 전나무는 소나무보다 187그루 더 적고, 단풍나무는 전나무보다 108그루 디 적습니다. 식물원에 있는 단풍나무는 몇 그루일까요?

식 ① : _____

식 ② : _____   답 : _____

🐝 알맞은 식을 쓰고 답을 구하세요.

수지네 학교에는 남학생이 ⟨353⟩명, 여학생이 ⟨327⟩명 있습니다. 그 중 안경을 쓴 학생이 ⟨411⟩명일 때 안경을 쓰지 않은 학생은 몇 명일까요?

식 :
```
    3 5 3         6 8 0
  + 3 2 7       - 4 1 1
  ─────────     ─────────
    6 8 0         2 6 9
```

답 : **269명**

(총 학생 수) = (남학생 수) + (여학생 수)

(안경을 쓰지 않은 학생 수) = (총 학생 수) − (안경을 쓴 학생 수)

① 밤하늘에 별이 620개 있었습니다. 별 196개가 새로 뜨고, 377개가 졌습니다. 밤하늘에 떠 있는 별은 몇 개일까요?

식 : _____   답 : _____

② 주차장에 트럭이 229대, 버스가 135대 서 있었는데 그중 183대가 떠났습니다. 주차장에 남은 트럭과 버스는 몇 대일까요?

식 : _____   답 : _____

어떤 경우에 덧셈을 쓰고, 뺄셈을 쓰는지 잘 구분해야 해.

🐝 알맞은 식을 쓰고 답을 구하세요.

하윤이가 첫째 날 현미경으로 관찰한 미생물은 297마리였습니다. 다음 날에 미생물의 수는 122마리 늘어났고, 그 다음 날에는 58마리 줄어들었습니다. 마지막 날에 관찰한 미생물은 몇 마리일까요?

식 ① : 297+122=419

식 ② : 419-58=361   답 : 361마리

(다음 날 미생물 수) = (첫째 날 미생물 수) + (첫째 날보다 늘어난 수)

(마지막 날 미생물 수) = (다음 날 미생물 수) - (다음 날보다 줄어든 수)

① 동물 농장에 소 102마리, 돼지 418마리가 있고, 염소는 소와 돼지의 수를 더한 것보다 253마리 더 적습니다. 동물 농장에 있는 염소는 몇 마리일까요?

식 ① : _____

식 ② : _____   답 : _____

② 길이가 132 cm, 266 cm인 막대 2개를 겹치지 않게 이어 붙여 깊이가 317 cm인 물 속에 세워서 바닥까지 넣었습니다. 막대에서 물에 짖지 않은 부분의 길이는 몇 cm일까요?

식 ① : _____

식 ② : _____   답 : _____

🐞 알맞은 식을 쓰고 답을 구하세요.

현지는 ⑧⑧⑩원을 가지고 있고, 준우는 현지보다 ④⑨⑩원 더 적게 가지고 있습니다. 두 사람이 가진 돈은 모두 얼마일까요?

식 :
$$\begin{array}{r} 8\,8\,0 \\ -\,4\,9\,0 \\ \hline 3\,9\,0 \end{array} \rightarrow \begin{array}{r} 3\,9\,0 \\ +\,8\,8\,0 \\ \hline 1\,2\,7\,0 \end{array}$$

답 : **1270원**

(준우가 가진 돈) = (현지가 가진 돈) − (현지보다 더 적은 돈)
(두 사람이 가진 돈) = (준우가 가진 돈) + (현지가 가진 돈)

① 색 테이프 658 cm 중 284 cm를 선물 포장에 쓰려고 잘라내었는데 잘라낸 색 테이프 중 75 cm가 남았습니다. 남은 색 테이프는 모두 몇 cm일까요?

식 : _____ 답 : _____

② 지웅이는 도서관에 가는 길에 425 m를 갔다가 떨어뜨린 물건 때문에 155 m를 돌아왔는데 물건을 다시 찾아 280 m를 더 가서 도착하였습니다. 도서관까지는 몇 m일까요?

식 : _____ 답 : _____

🐞 알맞은 식을 쓰고 답을 구하세요.

인형 공장에서 첫째 날 인형 449개를 만들었는데 그중 불량품 82개를 버렸습니다. 다음 날 만든 인형이 311개일 때, 인형 공장에 있는 인형은 모두 몇 개일까요?

식 ① : __499-82=417__

식 ② : __417+311=728__   답 : __728개__

(첫째 날의 인형 수) = (첫째 날 만든 인형 수) - (버린 인형 수)
(총 인형 수) = (첫째 날의 인형 수) + (다음 날 만든 인형 수)

① 과일 가게에 참외가 327개 있고, 수박은 참외보다 193개 더 적습니다. 과일 가게에 있는 참외와 수박은 모두 몇 개일까요?

식 ① : _____

식 ② : _____   답 : _____

② 현진이는 480일짜리 체육관 이용권을 끊었습니다. 현진이가 체육관을 다닌 지 383일이 지났을 때, 이용권을 120일만큼 연장했습니다. 현신이가 체육관을 다닐 수 있는 날은 며칠 남았을까요?

식 ① : _____

식 ② : _____   답 : _____

✿ 알맞은 풀이를 쓰고 답을 구하세요.

집에서 도서관까지의 거리는 (275)m, 도서관에서 학교까지의 거리는 (360)m, 학교에서 집까지의 거리는 (415)m입니다. 집에서 도서관, 학교를 거쳐 다시 집으로 돌아오는 거리는 몇 m일까요?

풀이 : (집~도서관~학교)
= (집~도서관) + (도서관~학교)
= 275 + 360 = 635(m)
(집~도서관~학교~집)
= (집~도서관~학교) + (학교~집)
= 635 + 415 = 1050(m)

답 : __1050 m__

① 엄마가 쿠키를 350개 만들어서 현호에게 127개, 동생에게 136개 나누어 주었습니다. 엄마에게 남은 쿠키는 몇 개일까요?

풀이 :

답 : _____

한 번에 답을 찾기 어려우면 단계를 세워서 답을 구해 봐.

② 빨간색 색종이 287장, 파란색 색종이 463장이 있습니다. 이 중 375장을 사용했을 때 남은 색종이는 몇 장일까요?

풀이 :

답 : _____

③ 연비네 학교의 3학년 학생 수는 271명이고, 2학년 학생 수는 3학년보다 36명 더 적습니다. 연비네 학교의 2학년과 3학년 학생 수는 모두 몇 명일까요?

풀이 :

답 : _____

✎ 알맞은 식을 쓰고 답을 구하세요.

① 꽃집에 백합이 338송이 있습니다. 튤립은 백합보다 45송이 더 많고, 장미는 튤립보다 327송이 더 많습니다. 꽃집에 있는 장미는 몇 송이일까요?

식 : _____ ⟶ _____   답 : _____

② 바닷가에 갈매기가 687마리 있고, 오리는 갈매기보다 237마리 더 적습니다. 바닷가에 있는 오리 중 156마리가 날아갔다면 남은 오리는 몇 마리일까요?

식 : _____ ⟶ _____   답 : _____

③ 야구장 매표소에 관람객 503명이 줄을 서 있었습니다. 한 시간 동안 174명이 새로 줄을 섰고, 385명이 입장했습니다. 매표소에 줄을 서 있는 관람객은 몇 명일까요?

식 : _____ ⟶ _____   답 : _____

✎ 알맞은 식을 쓰고 답을 구하세요.

④ 채소 가게에 오이가 260개 있고, 가지는 오이보다 238개 더 많습니다. 채소 가게에 있는 가지와 오이는 모두 몇 개일까요?

식 ① : _____

식 ② : _____   답 : _____

⑤ 신발 가게에 신발이 365켤레 있었습니다. 일주일 동안 새로 들여온 신발이 94켤레이고, 판매한 신발이 287켤레일 때, 신발 가게에 남은 신발은 몇 켤레일까요?

식 ① : _____

식 ② : _____   답 : _____

⑥ 호랑이의 무게는 477 kg이고, 곰은 호랑이보다 135 kg 더 가볍습니다. 호랑이와 곰의 무게 합은 몇 kg일까요?

식 ① : _____

식 ② : _____   답 : _____

✎ 알맞은 풀이를 쓰고 답을 구하세요.

⑦ 도서관에 여학생이 382명 있고, 남학생은 여학생보다 72명 더 많습니다. 도서관에 있는 학생은 모두 몇 명일까요?

풀이 :

답 : _____

⑧ 옷 가게에 옷이 837벌 있었습니다. 이 중 459벌을 팔았고, 78벌은 반품으로 돌려받았습니다. 옷 가게에 남은 옷은 몇 벌일까요?

풀이 :

답 : _____

진단평가

진단평가에는 앞에서 학습한 4주차의 문장제 활동이 순서대로 나옵니다. 잘못 푼 문제가 있으면 몇 주차인지 확인하여 반드시 한 번 더 복습해 봅니다.

1주차

3주차

2주차

4주차

✎ 알맞은 식을 쓰고 답을 구하세요.

① 716 더하기 200은 얼마일까요?

식 : _____ 답 : _____

② 185보다 470 큰 수는 얼마일까요?

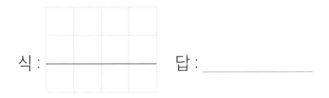

식 : _____ 답 : _____

✎ 알맞은 풀이를 쓰고 답을 구하세요.

③ 민형이는 800원을 가지고 있고, 정훈이는 민형이보다 120원을 더 적게 가지고 있습니다. 정훈이가 가진 돈은 얼마일까요?

풀이 :

답 : _____

✎ □가 있는 식을 쓰고 답을 구하세요.

④ 수조에 물이 728 L 들어 있었는데 얼마가 줄어 426 L 남았습니다. 줄어든 물은 몇 L일까요?

식 : _____   답 : _____

⑤ 진희는 입학 시험까지 635일 남은 날부터 학원을 다니기 시작해서 입학 시험까지 257일 남은 날까지 다녔습니다. 진희가 학원을 다닌 날은 며칠일까요?

식 : _____   답 : _____

✎ 알맞은 식을 쓰고 답을 구하세요.

⑥ 냉장고에 소고기 285 g, 돼지고기 625 g이 있었는데 햄버거를 만드는 데 고기 525 g을 사용했습니다. 냉장고에 남은 고기는 몇 g일까요?

식 ① : _____

식 ② : _____   답 : _____

✎ 알맞은 식을 쓰고 답을 구하세요.

① 화단에 튤립이 430송이 있었는데 295송이를 더 심었습니다. 화단에 있는 튤립은 몇 송이일까요?

식 : ─────── 답 : ───────────

② 엄마가 별사탕을 198개 만들었는데 150개를 더 만들었습니다. 엄마가 만든 별사탕은 몇 개일까요?

식 : ─────── 답 : ───────────

✎ 알맞은 식을 쓰고 답을 구하세요.

③ 250보다 133 작은 수는 얼마일까요?

식 : ─────── 답 : ───────────

④ 461과 643의 차는 얼마일까요?

식 : ─────── 답 : ───────────

✎ 잘못된 계산을 보고 올바르게 계산한 값을 구하세요.

⑤ 어떤 수에서 309를 빼야 할 것을 잘못하여 더했더니 936이 되었습니다. 올바르게 계산한 값은 얼마일까요?

식 ① : ＿＿＿＿＿＿＿＿＿＿＿＿ 어떤 수 : ＿＿＿＿＿＿＿

식 ② : ＿＿＿＿＿＿＿＿＿＿＿＿ 답 : ＿＿＿＿＿＿＿

⑥ 어떤 수에 256을 더해야 할 것을 잘못하여 뺐더니 162가 되었습니다. 올바르게 계산한 값은 얼마일까요?

식 ① : ＿＿＿＿＿＿＿＿＿＿＿＿ 어떤 수 : ＿＿＿＿＿＿＿

식 ② : ＿＿＿＿＿＿＿＿＿＿＿＿ 답 : ＿＿＿＿＿＿＿

✎ 알맞은 식을 쓰고 답을 구하세요.

⑦ 운하가 저금통에 있는 960원 중 770원을 꺼내 쓰고, 다시 450원을 집어넣었습니다. 저금통에 있는 돈은 얼마일까요?

식 ① : ＿＿＿＿＿＿＿＿＿＿＿＿

식 ② : ＿＿＿＿＿＿＿＿＿＿＿＿ 답 : ＿＿＿＿＿＿＿

✎ 알맞은 식을 쓰고 답을 구하세요.

① 우상이는 밤을 229개 주웠고, 준우는 우상이보다 158개 더 주웠습니다. 준우가 주운 밤은 몇 개일까요?

식 : _____ 답 : _____

② 국제 공항에서 오늘 출발한 비행기는 893대이고, 오늘 도착한 비행기는 출발한 비행기보다 345대 더 많습니다. 도착한 비행기는 몇 대일까요?

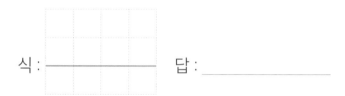

식 : _____ 답 : _____

✎ 알맞은 식을 쓰고 답을 구하세요.

③ 연못에 오리가 609마리 있었는데 123마리가 날아갔습니다. 연못에 남은 오리는 몇 마리일까요?

식 : _____ 답 : _____

④ 480쪽짜리 소설책 중에서 206쪽을 읽었습니다. 남은 소설책은 몇 쪽일까요?

식 : _____ 답 : _____

✎ □가 있는 식을 쓰고 답을 구하세요.

⑤ 저금통에 70원을 더 넣었더니 저금통에 있는 돈이 960원이 되었습니다. 저금통에 원래 있던 돈은 얼마였을까요?

식 : _____ 답 : _____

⑥ 산책길에 전나무는 은행나무보다 421그루 많은 534그루 있습니다. 산책길에 있는 은행나무는 몇 그루일까요?

식 : _____ 답 : _____

✎ 알맞은 풀이를 쓰고 답을 구하세요.

⑦ 마트에서 파는 당근의 가격은 830원입니다. 양파는 당근보다 170원 더 싸고, 감자는 양파보다 290원 더 쌉니다. 마트에서 파는 감자의 가격은 얼마일까요?

풀이 :

답 : _____

✎ 알맞은 식을 쓰고 답을 구하세요.

① 자운이가 가진 돈은 430원이고, 민서가 가진 돈은 270원입니다. 두 사람이 가진 돈은 모두 얼마일까요?

식 : _____   답 : _____

② 현수네 집에서 학교까지의 거리는 550 m입니다. 현수가 집에서 학교까지 갔다가 돌아오는 거리는 몇 m일까요?

식 : _____   답 : _____

✎ 알맞은 식을 쓰고 답을 구하세요.

③ 진애는 고무줄을 285개 가지고 있고, 은아는 진애보다 고무줄을 127개 더 적게 가지고 있습니다. 은아가 가진 고무줄은 몇 개일까요?

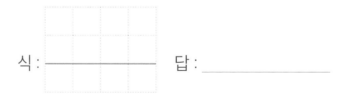

식 : _____   답 : _____

④ 쇠 막대의 길이는 385 cm이고, 나무 막대는 쇠 막대보다 98 cm 더 짧습니다. 나무 막대의 길이는 몇 cm일까요?

식 : _____   답 : _____

✎ □가 있는 식을 쓰고 답을 구하세요.

⑤ 목장에 소가 555마리 있고, 염소는 소보다 더 많은 842마리 있습니다. 목장에 있는 염소는 소보다 몇 마리 더 많을까요?

식 : _____ 답 : _____

⑥ 기차에 300명이 타고 있었는데 몇 명이 더 타서 740명이 되었습니다. 기차에 더 탄 사람은 몇 명일까요?

식 : _____ 답 : _____

✎ 알맞은 식을 쓰고 답을 구하세요.

⑦ 집에서 학교까지의 거리는 380 m, 학교에서 체육관까지는 225 m, 체육관에서 역까지는 265 m입니다. 집에서 학교, 체육관을 거쳐 역까지 가는 거리는 몇 m일까요?

식 ① : _____

식 ② : _____ 답 : _____

🖊 알맞은 풀이를 쓰고 답을 구하세요.

① 행사장에 풍선이 565개 있었는데 172개를 더 불었습니다. 행사장에 있는 풍선은 몇 개일까요?

풀이 :

답 : _____

🖊 알맞은 식을 쓰고 답을 구하세요.

② 미로는 체육관에 682일 동안 나갔고, 두기는 475일 동안 나갔습니다. 미로는 체육관에 두기보다 며칠 더 나갔을까요?

식 : _____   답 : _____

③ 도서관에 소설책이 925권, 위인전이 581권 있습니다. 도서관에 있는 소설책은 위인전보다 몇 권 더 많을까요?

식 : _____   답 : _____

✎ □가 있는 식을 쓰고 답을 구하세요.

④ 민수가 가진 스티커는 지예가 가진 스티커보다 54장이 더 적은 308장입니다. 지예가 가진 스티커는 몇 장일까요?

식 : _____   답 : _____

⑤ 우혁이네 반에서 색종이 670장을 사용하고 135장이 남았습니다. 우혁이네 반에 원래 있던 색종이는 몇 장이었을까요?

식 : _____   답 : _____

✎ 알맞은 식을 쓰고 답을 구하세요.

⑥ 문구점에서 파는 가위는 920원입니다. 딱풀은 가위보다 260원 더 싸고, 지우개는 딱풀보다 350원 더 쌉니다. 문구점에서 파는 지우개는 얼마일까요?

식 ① : _____

식 ② : _____   답 : _____

Memo

Creative to Math
씨투엠

정답

C1 덧셈과 뺄셈
초3~초4

P 06 ~ 07

1일 세로 덧셈

> 덧셈을 할 때는 받아올림에 주의하여 계산해야 해.

❀ 세로셈 식을 완성하고 밑줄 친 곳에 알맞은 수를 구하세요.

138 더하기 217은 __355__ 입니다.

```
  1
  1 3 8
+ 2 1 7
  3 5 5
```

① 211과 534의 합은 __745__ 입니다.

```
  2 1 1
+ 5 3 4
  7 4 5
```

② 659 더하기 244는 __903__ 입니다.

```
  6 5 9
+ 2 4 4
  9 0 3
```

③ 887보다 450 큰 수는 __1337__ 입니다.

```
  8 8 7
+ 4 5 0
1 3 3 7
```

❀ 알맞은 식을 쓰고 답을 구하세요.

413보다 298 큰 수는 얼마일까요?

```
      4 1 3
식 : + 2 9 8    답 : 711
      7 1 1
```

① 630 더하기 179는 얼마일까요?

```
      6 3 0
식 : + 1 7 9    답 : 809
      8 0 9
```

② 508과 774의 합은 얼마일까요?

```
      5 0 8
식 : + 7 7 4    답 : 1282
    1 2 8 2
```

③ 936보다 56 큰 수는 얼마일까요?

```
      9 3 6
식 : +   5 6    답 : 992
      9 9 2
```

P 08 ~ 09

2일 늘어난 값

> 원래 값에서 늘어난 값을 구하는 덧셈식을 만들어야 해.

❀ 알맞은 식을 쓰고 답을 구하세요.

농장에서 어제까지 딴 귤은 634개였는데 오늘 117개를 더 땄습니다. 농장에서 오늘까지 딴 귤은 몇 개일까요?

(오늘까지 딴 귤)
= (어제까지 딴 귤) + (오늘 딴 귤)
= 634 + 117

```
      6 3 4
식 : + 1 1 7    답 : 751개
      7 5 1
```

① 주차장에 자동차가 240대 있었는데 95대가 더 왔습니다. 주차장에 있는 자동차는 몇 대일까요?

```
      2 4 0
식 : +   9 5    답 : 335대
      3 3 5
```

② 현아는 색종이를 805장 가지고 있었는데 277장을 더 샀습니다. 현아가 가진 색종이는 몇 장일까요?

```
      8 0 5
식 : + 2 7 7    답 : 1082장
    1 0 8 2
```

③ 한 달 전 나무의 높이는 122 cm였는데 한 달 동안 98 cm 더 자랐습니다. 나무의 높이는 몇 cm일까요?

```
      1 2 2
식 : +   9 8    답 : 220 cm
      2 2 0
```

④ 양계장에 닭 793마리가 있었는데 412마리가 더 늘어났습니다. 양계장에 있는 닭은 몇 마리일까요?

```
      7 9 3
식 : + 4 1 2    답 : 1205마리
    1 2 0 5
```

⑤ 영화관에 관객이 245명 있었는데 307명이 더 입장하였습니다. 영화관에 있는 관객은 몇 명일까요?

```
      2 4 5
식 : + 3 0 7    답 : 552명
      5 5 2
```

⑥ 로아는 우표를 321장 가지고 있었는데 171장을 더 모았습니다. 로아가 모은 우표는 몇 장일까요?

```
      3 2 1
식 : + 1 7 1    답 : 492장
      4 9 2
```

⑦ 저금통에 동전이 239개 들어 있었는데 135개를 더 집어넣었습니다. 저금통에 있는 동전은 몇 개일까요?

```
      2 3 9
식 : + 1 3 5    답 : 374개
      3 7 4
```

P 10 ~ 11

3일 더 많은 값

어떤 수보다 몇 더 많은 값을 구할 때는 덧셈식이 필요하지.

🐝 알맞은 식을 쓰고 답을 구하세요.

공원에 까치가 205마리 있고, 비둘기는 까치보다 155마리 더 많습니다. 공원에 있는 비둘기는 몇 마리일까요?

(비둘기의 수)
= (까치의 수) + (까치보다 더 많은 수)
= 205 + 155

식 :
```
    2 0 5
  + 1 5 5
    3 6 0
```
답 : 360마리

① 과일 가게에 복숭아가 418개 있고, 사과는 복숭아보다 230개 더 많습니다. 과일 가게에 있는 사과는 몇 개일까요?

식 :
```
    4 1 8
  + 2 3 0
    6 4 8
```
답 : 648개

② 도서관에 시집이 720권 있고, 잡지는 시집보다 481권 더 많습니다. 도서관에 있는 잡지는 몇 권일까요?

식 :
```
    7 2 0
  + 4 8 1
  1 2 0 1
```
답 : 1201권

③ 종이학을 아린이는 357마리 접었고, 아현이는 아린이보다 123마리 더 접었습니다. 아현이가 접은 종이학은 몇 마리일까요?

식 :
```
    3 5 7
  + 1 2 3
    4 8 0
```
답 : 480마리

④ 산책길에 은행나무가 289그루 있고, 전나무는 은행나무보다 63그루 더 많습니다. 산책길에 있는 전나무는 몇 그루일까요?

식 :
```
    2 8 9
  +   6 3
    3 5 2
```
답 : 352그루

⑤ 경아는 줄넘기를 193번 넘었고, 혜진이는 경아보다 122번 더 넘었습니다. 혜진이가 넘은 줄넘기는 몇 번일까요?

식 :
```
    1 9 3
  + 1 2 2
    3 1 5
```
답 : 315번

⑥ 마트에 메추리알이 643개 있고, 달걀은 메추리알보다 585개 더 많습니다. 마트에 있는 달걀은 몇 개일까요?

식 :
```
    6 4 3
  + 5 8 5
  1 2 2 8
```
답 : 1228개

⑦ 옷 가게에서 일주일 동안 판 바지는 255벌이고, 치마는 바지보다 212벌 더 팔았습니다. 옷 가게에서 판 치마는 몇 벌일까요?

식 :
```
    2 5 5
  + 2 1 2
    4 6 7
```
답 : 467벌

P 12 ~ 13

4일 두 수의 합

두 수의 합을 구할 때는 순서에 관계없이 두 수를 더해.

🐝 알맞은 식을 쓰고 답을 구하세요.

신발 가게에 운동화가 390켤레, 구두가 443켤레 있습니다. 신발 가게에 있는 신발은 모두 몇 켤레일까요?

(신발의 수)
= (운동화의 수) + (구두의 수)
= 390 + 443

식 :
```
    3 9 0
  + 4 4 3
    8 3 3
```
답 : 833켤레

① 빵 장수가 붕어빵을 139개, 풀빵을 277개 만들었습니다. 빵 장수가 만든 빵은 모두 몇 개일까요?

식 :
```
    1 3 9
  + 2 7 7
    4 1 6
```
답 : 416개

② 창고에 쌀이 440 kg, 밀이 518 kg 있습니다. 창고에 있는 곡식은 모두 몇 kg일까요?

식 :
```
    4 4 0
  + 5 1 8
    9 5 8
```
답 : 958 kg

③ 운동장에 여학생이 566명, 남학생이 719명 있습니다. 운동장에 있는 학생은 모두 몇 명일까요?

식 :
```
    5 6 6
  + 7 1 9
  1 2 8 5
```
답 : 1285명

④ 하진이는 노란 색종이를 211장, 초록 색종이를 360장 가지고 있습니다. 하진이가 가진 색종이는 모두 몇 장일까요?

식 :
```
    2 1 1
  + 3 6 0
    5 7 1
```
답 : 571장

⑤ 아람이는 도토리를 672개 주웠고, 다람이는 637개 주웠습니다. 두 사람이 주운 도토리는 모두 몇 개일까요?

식 :
```
    6 7 2
  + 6 3 7
  1 3 0 9
```
답 : 1309개

⑥ 집에서 마트까지의 거리는 568 m이고, 마트에서 공원까지는 185 m입니다. 집에서 마트를 거쳐 공원까지 가는 거리는 몇 m일까요?

식 :
```
    5 6 8
  + 1 8 5
    7 5 3
```
답 : 753 m

⑦ 동물 농장에 소 129마리와 돼지 291마리가 있습니다. 동물 농장에 있는 동물은 모두 몇 마리일까요?

식 :
```
    1 2 9
  + 2 9 1
    4 2 0
```
답 : 420마리

P 14 ~ 15

5일 덧셈 풀이

> 풀이를 할 때는
> 먼저 무엇을 구해야
> 하는지 찾아보자.

🌸 알맞은 풀이를 쓰고 답을 구하세요.

주차장에 오토바이가 127대 있고, 자동차는 오토바이보다 265대 더 많습니다. 주차장에 있는 자동차는 몇 대일까요?

풀이 : (자동차의 수)
= (오토바이의 수) + (오토바이보다 더 많은 수)
= 127 + 265 = 392(대)

답 : 392대

① 공원에 참새가 258마리 있었는데 43마리가 더 날아왔습니다. 공원에 있는 참새는 몇 마리일까요?

풀이 : (참새의 수)
= (원래 있던 참새의 수) + (더 날아온 참새의 수)
= 258 + 43 = 301(마리)

답 : 301마리

② 박물관에 어른이 445명, 어린이가 615명 입장하였습니다. 박물관에 입장한 사람은 모두 몇 명일까요?

풀이 : (입장한 사람 수)
= (입장한 어른 수) + (입장한 어린이 수)
= 445 + 615 = 1060(명)

답 : 1060명

③ 도서관에 책이 521권 있었는데 204권을 더 샀습니다. 도서관에 있는 책은 몇 권일까요?

풀이 : (책의 수)
= (원래 있던 책의 수) + (더 산 책의 수)
= 521 + 204 = 725(권)

답 : 725권

④ 냉장고에 돼지고기 345 g과 소고기 710 g이 있습니다. 냉장고에 있는 고기는 모두 몇 g일까요?

풀이 : (고기의 무게)
= (돼지고기의 무게) + (소고기의 무게)
= 345 + 710 = 1055(g)

답 : 1055 g

⑤ 현준이가 가진 돈은 520원이고, 수연이가 가진 돈은 현준이보다 290원 더 많습니다. 수연이가 가진 돈은 얼마일까요?

풀이 : (수연이가 가진 돈)
= (현준이가 가진 돈) + (현준이보다 더 많은 돈)
= 520 + 290 = 810(원)

답 : 810원

P 16 ~ 17

확인학습

✏️ 알맞은 식을 쓰고 답을 구하세요.

① 435와 617의 합은 얼마일까요?

식 :
```
  4 3 5
+ 6 1 7
─────
1 0 5 2
```
답 : 1052

② 244보다 489 큰 수는 얼마일까요?

식 :
```
  2 4 4
+ 4 8 9
─────
  7 3 3
```
답 : 733

✏️ 알맞은 식을 쓰고 답을 구하세요.

③ 호수에 철새가 360마리 있었는데 378마리가 더 날아왔습니다. 호수에 있는 철새는 몇 마리일까요?

식 :
```
  3 6 0
+ 3 7 8
─────
  7 3 8
```
답 : 738마리

④ 연서는 소설책을 127쪽 읽었는데 88쪽을 더 읽었습니다. 연서가 읽은 소설책은 몇 쪽일까요?

식 :
```
  1 2 7
+   8 8
─────
  2 1 5
```
답 : 215쪽

✏️ 알맞은 식을 쓰고 답을 구하세요.

⑤ 문구점에 샤프가 517자루 있고, 볼펜은 샤프보다 392자루 더 많습니다. 문구점에 있는 볼펜은 몇 자루일까요?

식 :
```
  5 1 7
+ 3 9 2
─────
  9 0 9
```
답 : 909자루

⑥ 혜림이네 학교 학생은 673명이고, 명은이네 학교 학생은 혜림이네 학교 학생보다 93명 더 많습니다. 명은이네 학교 학생은 몇 명일까요?

식 :
```
  6 7 3
+   9 3
─────
  7 6 6
```
답 : 766명

✏️ 알맞은 식을 쓰고 답을 구하세요.

⑦ 2019년은 365일이고, 2020년은 366일입니다. 2019년과 2020년은 모두 며칠일까요?

식 :
```
  3 6 5
+ 3 6 6
─────
  7 3 1
```
답 : 731일

⑧ 호수에 두루미가 88마리, 오리가 935마리 있습니다. 호수에 있는 새는 모두 몇 마리일까요?

식 :
```
     8 8
+  9 3 5
─────
1 0 2 3
```
답 : 1023마리

P 18

확인학습

✎ 알맞은 풀이를 쓰고 답을 구하세요.

⑨ 마음이는 스티커를 405장 가지고 있었는데 239장 더 모았습니다. 마음이가 모은 스티커는 몇 장일까요?

풀이 : (스티커의 수)
= (원래 가진 스티커의 수) + (더 모은 스티커의 수)
= 405 + 239 = 644(장)

답 : ___644장___

⑩ 정원에 장미가 441송이, 백합이 219송이 피어 있습니다. 정원에 핀 꽃은 모두 몇 송이일까요?

풀이 : (꽃의 수)
= (장미의 수) + (백합의 수)
= 441 + 219 = 660(송이)

답 : ___660송이___

⑪ 만화책은 155쪽까지 있고, 소설책은 만화책보다 198쪽 더 많습니다. 소설책은 몇 쪽일까요?

풀이 : (소설책 쪽 수)
= (만화책 쪽 수) + (만화책보다 더 많은 쪽 수)
= 155 + 198 = 353(쪽)

답 : ___353쪽___

P 20 ~ 21

1일 세로 뺄셈

빼셈을 할 때는
받아내림에 주의하여
계산해야 해.

❀ 세로셈 식을 완성하고 밑줄 친 곳에 알맞은 수를 구하세요.

828 빼기 365는 __463__ 입니다.

```
    7 10
  8 2 8
- 3 6 5
  4 6 3
```

① 412보다 107 작은 수는 __305__ 입니다.

```
  4 1 2
- 1 0 7
  3 0 5
```

② 380과 725의 차는 __345__ 입니다.

```
  7 2 5
- 3 8 0
  3 4 5
```

③ 963보다 704 작은 수는 __259__ 입니다.

```
  9 6 3
- 7 0 4
  2 5 9
```

❀ 알맞은 식을 쓰고 답을 구하세요.

636과 199의 차는 얼마일까요?

```
       6 3 6
식 : - 1 9 9   답 : 437
       4 3 7
```

① 510 빼기 386은 얼마일까요?

```
       5 1 0
식 : - 3 8 6   답 : 124
       1 2 4
```

② 725보다 125 작은 수는 얼마일까요?

```
       7 2 5
식 : - 1 2 5   답 : 600
       6 0 0
```

③ 271과 900의 차는 얼마일까요?

```
       9 0 0
식 : - 2 7 1   답 : 629
       6 2 9
```

P 22 ~ 23

2일 줄어든 값

원래 값에서 줄어든
값을 구하는 뺄셈식을
만들어야 해.

🐚 알맞은 식을 쓰고 답을 구하세요.

길이가 324 cm인 색 테이프 중 175 cm를 사용했습니다. 남은 색 테이프는 몇 cm일까요?

(남은 길이)
= (원래 길이) - (사용한 길이)
= 324 - 175

```
       3 2 4
식 : - 1 7 5   답 : 149 cm
       1 4 9
```

① 마트에 달걀 720개가 있었는데 485개를 팔았습니다. 마트에 남은 달걀은 몇 개일까요?

```
       7 2 0
식 : - 4 8 5   답 : 235개
       2 3 5
```

② 호준이는 색종이 495장을 가지고 있었는데 188장을 사용했습니다. 호준이에게 남은 색종이는 몇 장일까요?

```
       4 9 5
식 : - 1 8 8   답 : 307장
       3 0 7
```

③ 자루에 콩이 808개 들어 있었는데 215개를 먹었습니다. 자루에 남은 콩은 몇 개일까요?

```
       8 0 8
식 : - 2 1 5   답 : 593개
       5 9 3
```

④ 메이는 900원을 가지고 있었는데 딱풀을 사는 데 770원을 썼습니다. 메이에게 남은 돈은 얼마일까요?

```
       9 0 0
식 : - 7 7 0   답 : 130원
       1 3 0
```

⑤ 자전거 보관소에 자전거 272대 있었는데 186대가 빠져나갔습니다. 자전거 보관소에 남은 자전거는 몇 대일까요?

```
       2 7 2
식 : - 1 8 6   답 : 86대
         8 6
```

⑥ 냉장고에 있던 음료수 550 mL 중 235 mL를 마셨습니다. 냉장고에 남은 음료수는 몇 mL일까요?

```
       5 5 0
식 : - 2 3 5   답 : 315 mL
       3 1 5
```

⑦ 경기장 입구에 610명이 줄을 서 있었는데 429명이 경기장에 입장하였습니다. 경기장 입구에 남은 사람은 몇 명일까요?

```
       6 1 0
식 : - 4 2 9   답 : 181명
       1 8 1
```

P 24 ~ 25

3일 더 적은 값

어떤 수보다 몇 더 적은 값을 구할 때는 뺄셈식이 필요해.

알맞은 식을 쓰고 답을 구하세요.

불곰의 무게는 275 kg이고, 반달곰은 불곰보다 180 kg 더 가볍습니다. 반달곰은 몇 kg일까요?

(반달곰 무게)
= (불곰 무게) - (불곰보다 가벼운 무게)
= 275 - 180

식 :
```
  2 7 5
- 1 8 0
  0 9 5
```
답 : 95 kg

① 연아네 학교에 여학생은 377명이고, 남학생은 여학생보다 85명 더 적습니다. 연아네 학교에 다니는 남학생은 몇 명일까요?

식 :
```
  3 7 7
-   8 5
  2 9 2
```
답 : 292명

② 동물원에 사슴이 461마리 있고, 낙타는 사슴보다 350마리 더 적습니다. 동물원에 있는 낙타는 몇 마리일까요?

식 :
```
  4 6 1
- 3 5 0
  1 1 1
```
답 : 111마리

③ 고속도로 휴게소에 땅콩과자가 830개 있고, 호두과자는 땅콩과자보다 342개 더 적습니다. 고속도로 휴게소에 있는 호두과자는 몇 개일까요?

식 :
```
  8 3 0
- 3 4 2
  4 8 8
```
답 : 488개

④ 김밥집에 야채김밥 353줄이 있고, 참치김밥은 야채김밥보다 59줄 더 적게 있습니다. 김밥집에 있는 참치김밥은 몇 줄일까요?

식 :
```
  3 5 3
-   5 9
  2 9 4
```
답 : 294줄

⑤ 식물원에 장미가 711송이 피어 있고, 튤립은 장미보다 309송이 더 적게 피어 있습니다. 식물원에 피어 있는 튤립은 몇 송이일까요?

식 :
```
  7 1 1
- 3 0 9
  4 0 2
```
답 : 402송이

⑥ 기현이는 구슬 529개를 모았고, 나연이는 기현이보다 구슬을 130개 더 적게 모았습니다. 나연이가 모은 구슬은 몇 개일까요?

식 :
```
  5 2 9
- 1 3 0
  3 9 9
```
답 : 399개

⑦ 파란색 색종이가 690장 있고, 빨간색 색종이는 파란색 색종이보다 175장 더 적습니다. 빨간색 색종이는 몇 장일까요?

식 :
```
  6 9 0
- 1 7 5
  5 1 5
```
답 : 515장

P 26 ~ 27

4일 두 수의 차

두 수의 차를 구할 때는 큰 수에서 작은 수를 빼야 해.

알맞은 식을 쓰고 답을 구하세요.

들판에 까마귀 389마리와 까치 503마리가 있습니다. 들판에 있는 까치는 까마귀보다 몇 마리 더 많을까요?

(까마귀 수와 까치 수의 차)
= (까치의 수) - (까마귀의 수)
= 503 - 389

식 :
```
  5 0 3
- 3 8 9
  1 1 4
```
답 : 114마리

① 과일 가게에 사과가 686개, 배가 273개 있습니다. 과일 가게에 있는 사과는 배보다 몇 개 더 많을까요?

식 :
```
  6 8 6
- 2 7 3
  4 1 3
```
답 : 413개

② 미루나무의 키는 520 cm이고, 은행나무의 키는 235 cm입니다. 미루나무는 은행나무보다 몇 cm 더 클까요?

식 :
```
  5 2 0
- 2 3 5
  2 8 5
```
답 : 285 cm

③ 놀이 공원에 남자 아이는 427명, 여자 아이는 495명 있습니다. 놀이 공원에 있는 여자 아이는 남자 아이보다 몇 명 더 많을까요?

식 :
```
  4 9 5
- 4 2 7
    6 8
```
답 : 68명

④ 냉장고에 우유 875 mL와 주스 495 mL가 있습니다. 냉장고에 있는 우유는 주스보다 몇 mL 더 많을까요?

식 :
```
  8 7 5
- 4 9 5
  3 8 0
```
답 : 380 mL

⑤ 민진이는 줄넘기를 236번 넘었고, 승혜는 177번 넘었습니다. 민진이는 줄넘기를 승혜보다 몇 번 더 넘었을까요?

식 :
```
  2 3 6
- 1 7 7
    5 9
```
답 : 59번

⑥ 문구점에서 볼펜을 920원, 지우개를 350원에 팔고 있습니다. 문구점에서 파는 볼펜은 지우개보다 얼마 더 비쌀까요?

식 :
```
  9 2 0
- 3 5 0
  5 7 0
```
답 : 570원

⑦ 빵집에 슈크림빵 268개와 단팥빵 535개가 있습니다. 빵집에 있는 단팥빵은 슈크림빵보다 몇 개 더 많을까요?

식 :
```
  5 3 5
- 2 6 8
  2 6 7
```
답 : 267개

5일 뺄셈 풀이

문제에 있는 수를 써서 알맞은 식을 만드는 것이 중요해.

❀ 알맞은 풀이를 쓰고 답을 구하세요.

소연이는 750원을 가지고 있었는데 590원을 썼습니다. 소연이에게 남은 돈은 얼마일까요?

풀이 : (남은 돈)
= (원래 가지고 있던 돈) − (쓴 돈)
= 750 − 590 = 160(원)

답 : 160원

① 신발 가게에 구두가 329켤레, 운동화가 874켤레 있습니다. 신발 가게에 있는 운동화는 구두보다 몇 켤레 더 많을까요?

풀이 : (구두 수와 운동화 수의 차)
= (운동화의 수) − (구두의 수)
= 874 − 329 = 545(켤레)

답 : 545켤레

② 햄버거를 만드는 데 소고기 485 g이 필요하고, 돼지고기는 소고기보다 190 g 더 적게 필요합니다. 햄버거를 만드는 데 필요한 돼지고기는 몇 g일까요?

풀이 : (돼지고기 무게)
= (소고기 무게) − (소고기보다 더 적게 필요한 무게)
= 485 − 190 = 295(g)

답 : 295 g

③ 아빠의 키는 182 cm이고, 동생은 아빠보다 59 cm 더 작습니다. 동생의 키는 몇 cm일까요?

풀이 : (동생의 키)
= (아빠의 키) − (아빠보다 더 작은 키)
= 182 − 59 = 123(cm)

답 : 123 cm

④ 학교에 학생이 823명 있었는데 487명이 집으로 갔습니다. 학교에 남은 학생은 몇 명일까요?

풀이 : (남은 학생 수)
= (원래 있던 학생 수) − (집에 간 학생 수)
= 823 − 487 = 336(명)

답 : 336명

⑤ 주하네 집에는 볼펜 204자루와 연필 58자루가 있습니다. 주하네 집에 있는 볼펜은 연필보다 몇 자루 더 많을까요?

풀이 : (볼펜 수와 연필 수의 차)
= (볼펜의 수) − (연필의 수)
= 204 − 58 = 146(자루)

답 : 146자루

확인학습

✏ 알맞은 식을 쓰고 답을 구하세요.

① 315보다 49 작은 수는 얼마일까요?

식 :
$$\begin{array}{r} 3\ 1\ 5 \\ -\ \ 4\ 9 \\ \hline 2\ 6\ 6 \end{array}$$
답 : 266

② 885 빼기 439는 얼마일까요?

식 :
$$\begin{array}{r} 8\ 8\ 5 \\ -\ 4\ 3\ 9 \\ \hline 4\ 4\ 6 \end{array}$$
답 : 446

✏ 알맞은 식을 쓰고 답을 구하세요.

③ 과수원에 사과 747개가 열려 있었는데 그중 558개를 땄습니다. 과수원에 남은 사과는 몇 개일까요?

식 :
$$\begin{array}{r} 7\ 4\ 7 \\ -\ 5\ 5\ 8 \\ \hline 1\ 8\ 9 \end{array}$$
답 : 189개

④ 학교 도서관에 전집 215권이 있었는데 그중 108권은 빌려갔습니다. 학교 도서관에 남은 전집은 몇 권일까요?

식 :
$$\begin{array}{r} 2\ 1\ 5 \\ -\ 1\ 0\ 8 \\ \hline 1\ 0\ 7 \end{array}$$
답 : 107권

✏ 알맞은 식을 쓰고 답을 구하세요.

⑤ 효진이가 가진 돈은 540원이고, 원희가 가진 돈은 효진이보다 130원 더 적습니다. 원희가 가진 돈은 얼마일까요?

식 :
$$\begin{array}{r} 5\ 4\ 0 \\ -\ 1\ 3\ 0 \\ \hline 4\ 1\ 0 \end{array}$$
답 : 410원

⑥ 이번 달에 동물 병원에 온 강아지는 764마리였고, 고양이는 강아지보다 158마리 더 적게 왔습니다. 동물 병원에 온 고양이는 몇 마리일까요?

식 :
$$\begin{array}{r} 7\ 6\ 4 \\ -\ 1\ 5\ 8 \\ \hline 6\ 0\ 6 \end{array}$$
답 : 606마리

✏ 알맞은 식을 쓰고 답을 구하세요.

⑦ 고은이는 도토리를 515개 주웠고, 현호는 233개 주웠습니다. 고은이가 주운 도토리는 현호보다 몇 개 더 많을까요?

식 :
$$\begin{array}{r} 5\ 1\ 5 \\ -\ 2\ 3\ 3 \\ \hline 2\ 8\ 2 \end{array}$$
답 : 282개

⑧ 주차장에 버스가 125대, 트럭이 699대 있습니다. 주차장에 있는 트럭은 버스보다 몇 대 더 많을까요?

식 :
$$\begin{array}{r} 6\ 9\ 9 \\ -\ 1\ 2\ 5 \\ \hline 5\ 7\ 4 \end{array}$$
답 : 574대

P 32

확인학습

◆ 알맞은 풀이를 쓰고 답을 구하세요.

⑨ 마트에 메추리알이 227개 있고, 달걀은 785개 있습니다. 마트에 있는 달걀은 메추리알보다 몇 개 더 많을까요?

풀이 : (메추리알 수와 달걀 수의 차)
   = (달걀의 수) − (메추리알의 수)
   = 785 − 227 = 558(개)

답 : __558개__

⑩ 동우는 스티커를 501장 모았고, 성민이는 동우보다 스티커를 380장 더 적게 모았습니다. 성민이가 모은 스티커는 몇 장일까요?

풀이 : (성민이의 스티커 수)
   = (동우의 스티커 수) − (동우보다 더 적은 스티커 수)
   = 501 − 380 = 121(장)

답 : __121장__

⑪ 울타리 안에 양이 490마리 있었는데 245마리가 밖으로 나갔습니다. 울타리 안에 남은 양은 몇 마리일까요?

풀이 : (남은 양의 수)
   = (원래 있던 양의 수) − (나간 양의 수)
   = 490 − 245 = 245(마리)

답 : __245마리__

P 34 ~ 35

1일 네모가 있는 덧셈(1)

❋ □가 있는 식을 쓰고 답을 구하세요.

원래 있던 것이나 비교가 되는 것이 네모인 덧셈 상황이야.

어떤 수에 222를 더했더니 359가 되었습니다. 어떤 수는 얼마일까요?

식 : □+222=359 답 : 137

359 - 222 = □

① 어떤 수와 173의 합은 508입니다. 어떤 수는 얼마일까요?

식 : □+173=508 답 : 335

② 어떤 수에 309를 더했더니 726이 되었습니다. 어떤 수는 얼마일까요?

식 : □+309=726 답 : 417

③ 어떤 수보다 98 큰 수는 631입니다. 어떤 수는 얼마일까요?

식 : □+98=631 답 : 533

❋ □가 있는 식을 쓰고 답을 구하세요.

연못에 오리 121마리가 더 날아와서 450마리가 되었습니다. 연못에 원래 있던 오리는 몇 마리였을까요?

식 : □+121=450 답 : 329마리

450 - 121 = □

① 노란색 색종이는 빨간색 색종이보다 415장 더 많은 789장입니다. 빨간색 색종이는 몇 장일까요?

식 : □+415=789 답 : 374장

② 강당에 학생 239명이 더 들어와서 학생 수가 386명이 되었습니다. 강당에 원래 있던 학생은 몇 명이었을까요?

식 : □+239=386 답 : 147명

③ 주차장에 자동차는 오토바이보다 370대 더 많은 940대 있습니다. 주차장에 있는 오토바이는 몇 대일까요?

식 : □+370=940 답 : 570대

P 36 ~ 37

2일 네모가 있는 덧셈(2)

🌱 □가 있는 식을 쓰고 답을 구하세요.

늘어나거나 더 많은 것이 네모인 덧셈 상황이야.

375와 어떤 수의 합은 525입니다. 어떤 수는 얼마일까요?

식 : 375+□=525 답 : 150

525 - 375 = □

① 193에 어떤 수를 더했더니 404가 되었습니다. 어떤 수는 얼마일까요?

식 : 193+□=404 답 : 211

② 274보다 어떤 수만큼 더 큰 수는 723입니다. 어떤 수는 얼마일까요?

식 : 274+□=723 답 : 449

③ 855와 어떤 수의 합은 971입니다. 어떤 수는 얼마일까요?

식 : 855+□=971 답 : 116

🌱 □가 있는 식을 쓰고 답을 구하세요.

정원에 장미 184송이가 피어 있고, 튤립은 장미보다 더 많은 420송이가 피어 있습니다. 정원에 피어 있는 튤립은 장미보다 몇 송이 더 많습니까?

식 : 184+□=420 답 : 236송이

420 - 184 = □

① 진호는 350원을 가지고 있는데 810원을 모으려고 합니다. 진호가 더 모아야 하는 돈은 얼마일까요?

식 : 350+□=810 답 : 460원

② 운동장에 남학생 432명을 포함하여 학생이 모두 864명 있습니다. 운동장에 있는 여학생은 몇 명일까요?

식 : 432+□=864 답 : 432명

③ 과일 가게에 복숭아는 563개 있고, 사과는 더 많은 627개 있습니다. 과일 가게에 있는 사과는 복숭아보다 몇 개 더 많을까요?

식 : 563+□=627 답 : 64개

P 38 ~ 39

3일 네모가 있는 뺄셈(1)

원래 있던 건이나 비교가 되는 건이 네모인 뺄셈 상황이야.

🐝 □가 있는 식을 쓰고 답을 구하세요.

어떤 수보다 88 작은 수는 200입니다. 어떤 수는 얼마일까요?

식 : □−88=200   답 : 288

200 + 88 = □

① 어떤 수에서 330을 뺐더니 391이 되었습니다. 어떤 수는 얼마일까요?

식 : □−330=391   답 : 721

② 어떤 수보다 595 작은 수는 123입니다. 어떤 수는 얼마일까요?

식 : □−595=123   답 : 718

③ 어떤 수에서 213을 뺐더니 227이 되었습니다. 어떤 수는 얼마일까요?

식 : □−213=227   답 : 440

🐝 □가 있는 식을 쓰고 답을 구하세요.

공원에 비둘기가 참새보다 425마리 더 적은 330마리 있습니다. 공원에 있는 참새는 몇 마리일까요?

식 : □−425=330   답 : 755마리

330 + 425 = □

① 전나무의 키는 플라타너스보다 171 cm 더 작은 645 cm입니다. 플라타너스의 키는 몇 cm일까요?

식 : □−171=645   답 : 816 cm

② 빵집에서 빵 266개를 팔고 54개가 남았습니다. 빵집에 원래 있던 빵은 몇 개였을까요?

식 : □−266=54   답 : 320개

③ 학교에 있던 학생 중 700명이 집으로 가서 136명이 남았습니다. 학교에 원래 있던 학생은 몇 명이었을까요?

식 : □−700=136   답 : 836명

P 40 ~ 41

4일 네모가 있는 뺄셈(2)

줄어든 수나 더 적은 수가 네모인 뺄셈 상황이야.

🐝 □가 있는 식을 쓰고 답을 구하세요.

841에서 어떤 수를 뺐더니 540이 되었습니다. 어떤 수는 얼마일까요?

식 : 841−□=540   답 : 301

841 − 540 = □

① 694에서 어떤 수를 뺐더니 128이 되었습니다. 어떤 수는 얼마일까요?

식 : 694−□=128   답 : 566

② 408보다 어떤 수만큼 작은 수는 328입니다. 어떤 수는 얼마일까요?

식 : 408−□=328   답 : 80

③ 722보다 어떤 수만큼 작은 수는 411입니다. 어떤 수는 얼마일까요?

식 : 722−□=411   답 : 311

🐝 □가 있는 식을 쓰고 답을 구하세요.

과수원에 있는 사과 530개 중 몇 개를 따고 246개가 남았습니다. 과수원에서 딴 사과는 몇 개일까요?

식 : 530−□=246   답 : 284개

530 − 246 = □

① 흰 바둑돌은 921개 있고, 검은 바둑돌은 더 적은 677개 있습니다. 검은 바둑돌은 흰 바둑돌보다 몇 개 적을까요?

식 : 921−□=677   답 : 244개

② 민지이가 550원을 가지고 있었는데 아이스크림을 사고 나니 170원이 남았습니다. 아이스크림은 얼마일까요?

식 : 550−□=170   답 : 380원

③ 우민이가 학교에서 공원까지의 거리 815 m 중 얼마만큼 걸어갔더니 공원까지 399 m 남았습니다. 우민이가 걸어간 거리는 몇 m일까요?

식 : 815−□=399   답 : 416 m

P 42 ~ 43

5일 잘못된 계산

올바른 계산 값을 찾으려면 먼저 어떤 수를 구해야 해.

✿ 잘못된 계산을 보고 올바르게 계산한 값을 구하세요.

어떤 수에서 240을 빼야 할 것을 잘못하여 더했더니 625가 되었습니다. 올바르게 계산한 값은 얼마일까요?

식① : $\boxed{}+240=625$ 어떤 수 : **385**
  625 - 240 = □

식② : $385-240=145$ 답 : **145**

③ 어떤 수에 315를 더해야 할 것을 잘못하여 뺐더니 166이 되었습니다. 올바르게 계산한 값은 얼마일까요?

식① : $\boxed{}-315=166$ 어떤 수 : **481**

식② : $481+315=796$ 답 : **796**

① 어떤 수에 107을 더해야 할 것을 잘못하여 뺐더니 431이 되었습니다. 올바르게 계산한 값은 얼마일까요?

식① : $\boxed{}-107=431$ 어떤 수 : **538**

식② : $538+107=645$ 답 : **645**

④ 어떤 수에서 152를 빼야 할 것을 잘못하여 더했더니 356이 되었습니다. 올바르게 계산한 값은 얼마일까요?

식① : $\boxed{}+152=356$ 어떤 수 : **204**

식② : $204-152=52$ 답 : **52**

② 어떤 수에서 96을 빼야 할 것을 잘못하여 더했더니 888이 되었습니다. 올바르게 계산한 값은 얼마일까요?

식① : $\boxed{}+96=888$ 어떤 수 : **792**

식② : $792-96=696$ 답 : **696**

⑤ 어떤 수에 283을 더해야 할 것을 잘못하여 뺐더니 283이 되었습니다. 올바르게 계산한 값은 얼마일까요?

식① : $\boxed{}-283=283$ 어떤 수 : **566**

식② : $566+283=849$ 답 : **849**

P 44 ~ 45

확인학습

✎ □가 있는 식을 쓰고 답을 구하세요.

① 루미가 모은 구슬은 종현이가 모은 구슬보다 575개 많은 832개입니다. 종현이가 모은 구슬은 몇 개일까요?

식 : $\boxed{}+575=832$ 답 : **257개**

✎ □가 있는 식을 쓰고 답을 구하세요.

⑤ 운동회에서 준비한 음료 중 198병을 먹고 255병이 남았습니다. 운동회에서 원래 준비한 음료수는 몇 병이었을까요?

식 : $\boxed{}-198=255$ 답 : **453병**

② 나무가 183 cm 더 자라서 키가 691 cm가 되었습니다. 나무의 원래 키는 얼마였을까요?

식 : $\boxed{}+183=691$ 답 : **508 cm**

⑥ 아기 코뿔소의 무게는 엄마 코뿔소보다 445 kg 더 가벼운 450 kg입니다. 엄마 코뿔소는 몇 kg일까요?

식 : $\boxed{}-445=450$ 답 : **895 kg**

✎ □가 있는 식을 쓰고 답을 구하세요.

③ 집에서 학교까지 가는 거리는 714 m이고, 집에서 학교를 거쳐 공원으로 가는 거리는 988 m입니다. 학교에서 공원으로 가는 거리는 몇 m 일까요?

식 : $714+\boxed{}=988$ 답 : **274 m**

✎ □가 있는 식을 쓰고 답을 구하세요.

⑦ 급식 시간에 아이들이 우유 863팩 중 몇 팩을 먹고 151팩이 남았습니다. 급식 시간에 아이들이 먹은 우유는 몇 팩일까요?

식 : $863-\boxed{}=151$ 답 : **712팩**

④ 하진이는 우표를 244장 가지고 있었는데 몇 장을 더 모아서 450장을 가지게 되었습니다. 하진이가 더 모은 우표는 몇 장일까요?

식 : $244+\boxed{}=450$ 답 : **206장**

⑧ 농장에 돼지가 423마리 있고, 소는 더 적은 333마리 있습니다. 농장에 있는 소는 돼지보다 몇 마리 더 적을까요?

식 : $423-\boxed{}=333$ 답 : **90마리**

P 46

확인학습

◆ 잘못된 계산을 보고 올바르게 계산한 값을 구하세요.

⑨ 어떤 수에서 169를 빼야 할 것을 잘못하여 더했더니 494가 되었습니다. 올바르게 계산한 값은 얼마일까요?

식 ① :　□+169=494　어떤 수 :　**325**

식 ② :　**325-169=156**　답 :　**156**

⑩ 어떤 수에 84를 더해야 할 것을 잘못하여 뺐더니 606이 되었습니다. 올바르게 계산한 값은 얼마일까요?

식 ① :　□-84=606　어떤 수 :　**690**

식 ② :　**690+84=774**　답 :　**774**

⑪ 어떤 수에 256을 더해야 할 것을 잘못하여 뺐더니 162가 되었습니다. 올바르게 계산한 값은 얼마일까요?

식 ① :　□-256=162　어떤 수 :　**418**

식 ② :　**418+256=674**　답 :　**674**

46　다-덧셈과 뺄셈

여러 수의 계산

1일 두 번 더하기

주어진 세 값 중
두 값을 먼저 더하고
나머지를 더해.

❀ 알맞은 식을 쓰고 답을 구하세요.

기차에 승객 214명이 타고 있었습니다. 첫 역에서 96명이 더 타고, 다음 역에서 175명이 더 탔습니다. 기차에 타고 있는 승객은 몇 명일까요?

식 :
```
  2 1 4      3 1 0
+   9 6    + 1 7 5
  3 1 0      4 8 5
```
답 : 485명

(첫 역의 승객 수) = (원래 승객 수) + (첫 역에서 탄 승객 수)
(다음 역의 승객 수) = (첫 역의 승객 수) + (다음 역에서 탄 승객 수)

① 혜진이는 210원을 가지고 있습니다. 혜렴이는 혜진이보다 90원을 더 가지고 있고, 명은이는 혜렴이보다 380원을 더 가지고 있습니다. 명은이가 가진 돈은 얼마일까요?

식 :
```
  2 1 0      3 0 0
+   9 0    + 3 8 0
  3 0 0      6 8 0
```
답 : 680원

② 들판에 사슴이 185마리 있고, 토끼는 사슴보다 232마리 더 많습니다. 들판에 있는 토끼와 사슴은 모두 몇 마리일까요?

식 :
```
  1 8 5      4 1 7
+ 2 3 2    + 1 8 5
  4 1 7      6 0 2
```
답 : 602마리

❀ 알맞은 식을 쓰고 답을 구하세요.

공원에 까치가 122마리 있습니다. 비둘기는 까치보다 135마리 더 많고, 참새는 비둘기보다 274마리 더 많습니다. 공원에 있는 참새는 몇 마리일까요?

식 ① : 122+135=257

식 ② : 257+274=531   답 : 531마리

(비둘기의 수) = (까치의 수) + (까치보다 더 많은 수)
(참새의 수) = (비둘기의 수) + (비둘기보다 더 많은 수)

① 양계장에 달걀이 408개 있었습니다. 오전에 달걀이 295개 늘어났고, 오후에 377개 늘어났습니다. 양계장에 있는 달걀은 몇 개일까요?

식 ① : 408+295=703

식 ② : 703+377=1080   답 : 1080개

② 진호는 칭찬 딱지를 99장 모았고, 연수는 진호보다 칭찬 딱지를 145장 더 모았습니다. 두 사람이 모은 칭찬 딱지는 모두 몇 장일까요?

식 ① : 99+145=244

식 ② : 244+99=343   답 : 343장

2일 두 번 빼기

빼는 두 수를
더해서 한번에 빼도
결과가 같아.

❀ 알맞은 식을 쓰고 답을 구하세요.

지혜는 구슬을 480개 가지고 있습니다. 아린이는 지혜보다 구슬을 72개 더 적게 가지고 있고, 성재는 아린이보다 135개 더 적게 가지고 있습니다. 성재가 가진 구슬은 몇 개일까요?

식 :
```
  4 8 0      4 0 8
-   7 2    - 1 3 5
  4 0 8      2 7 3
```
답 : 273개

(아린이의 구슬 수) = (지혜의 구슬 수) - (지혜보다 더 적은 수)
(성재의 구슬 수) = (아린이의 구슬 수) - (아린이보다 더 적은 수)

① 마트에 감자가 563개 있었는데 오전에 136개, 오후에 349개 팔렸습니다. 마트에 남은 감자는 몇 개일까요?

식 :
```
  5 6 3      4 2 7
- 1 3 6    - 3 4 9
  4 2 7        7 8
```
답 : 78개

② 길이가 725 cm인 색 테이프 중 280 cm, 155 cm를 각각 사용하였습니다. 남은 색 테이프는 몇 cm일까요?

식 :
```
  7 2 5      4 4 5
- 2 8 0    - 1 5 5
  4 4 5      2 9 0
```
답 : 290 cm

❀ 알맞은 식을 쓰고 답을 구하세요.

주차장에 자동차가 669대 있었습니다. 오전에 자동차가 305대, 오후에 187대 빠져나갔다면 주차장에 남은 자동차는 몇 대일까요?

식 ① : 669-305=364

식 ② : 364-187=177   답 : 177대

(오전에 남은 자동차 수) = (원래 있던 자동차 수) - (오전에 빠져나간 자동차 수)
(오후에 남은 자동차 수) = (오전에 남은 자동차 수) - (오후에 빠져나간 자동차 수)

① 동물원에 먹이용 건초가 980 kg 있었습니다. 건초를 코끼리가 562 kg, 낙타가 224 kg 먹었다면 남은 건초는 몇 kg일까요?

식 ① : 980-562=418

식 ② : 418-224=194   답 : 194 kg

② 식물원에 소나무가 545그루 있습니다. 전나무는 소나무보다 187그루 더 적고, 단풍나무는 전나무보다 108그루 더 적습니다. 식물원에 있는 단풍나무는 몇 그루일까요?

식 ① : 545-187=358

식 ② : 358-108=250   답 : 250그루

P 52 ~ 53

3일 합과 차(1)

어떤 경우에 덧셈을 쓰고, 뺄셈을 쓰는지 잘 구분해야 해.

🐝 알맞은 식을 쓰고 답을 구하세요.

수지네 학교에는 남학생이 353명, 여학생이 327명 있습니다. 그 중 안경을 쓴 학생이 411명일 때 안경을 쓰지 않은 학생은 몇 명일까요?

$$
\begin{array}{r} 3\ 5\ 3 \\ +\ 3\ 2\ 7 \\ \hline 6\ 8\ 0 \end{array}
\qquad
\begin{array}{r} 6\ 8\ 0 \\ -\ 4\ 1\ 1 \\ \hline 2\ 6\ 9 \end{array}
$$

식: 답 : 269명

(총 학생 수) = (남학생 수) + (여학생 수)
(안경을 쓰지 않은 학생 수) = (총 학생 수) - (안경을 쓴 학생 수)

① 밤하늘에 별이 620개 있었습니다. 별 196개가 새로 뜨고, 377개가 졌습니다. 밤하늘에 떠 있는 별은 몇 개일까요?

$$
\begin{array}{r} 6\ 2\ 0 \\ +\ 1\ 9\ 6 \\ \hline 8\ 1\ 6 \end{array}
\qquad
\begin{array}{r} 8\ 1\ 6 \\ -\ 3\ 7\ 7 \\ \hline 4\ 3\ 9 \end{array}
$$

식: 답 : 439개

② 주차장에 트럭이 229대, 버스가 135대 서 있었는데 그중 183대가 떠났습니다. 주차장에 남은 트럭과 버스는 몇 대일까요?

$$
\begin{array}{r} 2\ 2\ 9 \\ +\ 1\ 3\ 5 \\ \hline 3\ 6\ 4 \end{array}
\qquad
\begin{array}{r} 3\ 6\ 4 \\ -\ 1\ 8\ 3 \\ \hline 1\ 8\ 1 \end{array}
$$

식: 답 : 181대

🐝 알맞은 식을 쓰고 답을 구하세요.

하윤이가 첫째 날에 현미경으로 관찰한 미생물이 297마리였습니다. 다음 날에 미생물의 수는 122마리 늘어났고, 그 다음 날에는 58마리 줄어들었습니다. 마지막 날에 관찰한 미생물은 몇 마리일까요?

식① 297+122=419

식② 419-58=361 답 : 361마리

(다음 날 미생물 수) = (첫째 날 미생물 수) + (첫째 날보다 늘어난 수)
(마지막 날 미생물 수) = (다음 날 미생물 수) - (다음 날보다 줄어든 수)

① 동물 농장에 소 102마리, 돼지 418마리가 있고, 염소는 소와 돼지의 수를 더한 것보다 253마리 더 적습니다. 동물 농장에 있는 염소는 몇 마리일까요?

식① 102+418=520

식② 520-253=267 답 : 267마리

② 길이가 132 cm, 266 cm인 막대 2개를 겹치지 않게 이어 붙여 길이가 317 cm인 물 속에 세워서 바닥까지 넣었습니다. 막대에서 물에 젖지 않은 부분의 길이는 몇 cm일까요?

식① 132+266=398

식② 398-317=81 답 : 81 cm

P 54 ~ 55

4일 합과 차(2)

내가 주어진 두 수의 합을 구하는 문제는 실수하기 쉬워.

🐝 알맞은 식을 쓰고 답을 구하세요.

현지는 880원을 가지고 있고, 준우는 현지보다 490원 더 적게 가지고 있습니다. 두 사람이 가진 돈은 모두 얼마일까요?

$$
\begin{array}{r} 8\ 8\ 0 \\ -\ 4\ 9\ 0 \\ \hline 3\ 9\ 0 \end{array}
\qquad
\begin{array}{r} 3\ 9\ 0 \\ +\ 8\ 8\ 0 \\ \hline 1\ 2\ 7\ 0 \end{array}
$$

식: 답 : 1270원

(준우가 가진 돈) = (현지가 가진 돈) - (현지보다 더 적은 돈)
(두 사람이 가진 돈) = (준우가 가진 돈) + (현지가 가진 돈)

① 색 테이프 658 cm 중 284 cm를 선물 포장에 쓰려고 잘라내었는데 잘라낸 색 테이프 중 75 cm가 남았습니다. 남은 색 테이프는 모두 몇 cm일까요?

$$
\begin{array}{r} 6\ 5\ 8 \\ -\ 2\ 0\ 4 \\ \hline 3\ 7\ 4 \end{array}
\qquad
\begin{array}{r} 3\ 7\ 4 \\ +\ \ \ 7\ 5 \\ \hline 4\ 4\ 9 \end{array}
$$

식: 답 : 449 cm

② 지웅이는 도서관에 가는 길에 425 m를 갔다가 떨어뜨린 물건 때문에 155 m를 돌아왔는데 물건을 다시 찾아 280 m를 더 가서 도착하였습니다. 도서관까지는 몇 m일까요?

$$
\begin{array}{r} 4\ 2\ 5 \\ -\ 1\ 5\ 5 \\ \hline 2\ 7\ 0 \end{array}
\qquad
\begin{array}{r} 2\ 7\ 0 \\ +\ 2\ 8\ 0 \\ \hline 5\ 5\ 0 \end{array}
$$

식: 답 : 550 m

🐝 알맞은 식을 쓰고 답을 구하세요.

인형 공장에서 첫째 날 인형 499개를 만들었는데 그중 불량품 82개를 버렸습니다. 다음 날 만든 인형이 311개일 때, 인형 공장에 있는 인형은 모두 몇 개일까요?

식① 499-82=417

식② 417+311=728 답 : 728개

(첫째 날의 인형 수) = (첫째 날 만든 인형 수) - (버린 인형 수)
(총 인형 수) = (첫째 날의 인형 수) + (다음 날 만든 인형 수)

① 과일 가게에 참외가 327개 있고, 수박은 참외보다 193개 더 적습니다. 과일 가게에 있는 참외와 수박은 모두 몇 개일까요?

식① 327-193=134

식② 134+327=461 답 : 461개

② 현진이는 480일짜리 체육관 이용권을 끊었습니다. 현진이가 체육관을 다닌 지 383일이 지났을 때, 이용권을 120일만큼 연장했습니다. 현진이가 체육관을 다닐 수 있는 날은 며칠 남았을까요?

식① 480-383=97

식② 97+120=217 답 : 217일

여러 수의 계산

4주

P 56 ~ 57

5일 여러 수의 계산 풀이

한 번에 답을 찾기 어려우면 단계를 세워서 답을 구해 봐.

✿ 알맞은 풀이를 쓰고 답을 구하세요.

집에서 도서관까지의 거리는 275 m, 도서관에서 학교까지의 거리는 360 m, 학교에서 집까지의 거리는 415 m입니다. 집에서 도서관, 학교를 거쳐 다시 집으로 돌아오는 거리는 몇 m일까요?

풀이: (집~도서관~학교)
= (집~도서관) + (도서관~학교)
= 275 + 360 = 635(m)
(집~도서관~학교~집)
= (집~도서관~학교) + (학교~집)
= 635 + 415 = 1050(m)

답 : __1050 m__

② 빨간색 색종이 287장, 파란색 색종이 463장이 있습니다. 이 중 375장을 사용했을 때 남은 색종이는 몇 장일까요?

풀이: (총 색종이 수)
= (빨간색 색종이 수) + (파란색 색종이 수)
= 287 + 463 = 750(장)
(남은 색종이 수)
= (총 색종이 수) – (사용한 색종이 수)
= 750 – 375 = 375(장)

답 : __375장__

① 엄마가 쿠키를 350개 만들어서 현호에게 127개, 동생에게 136개 나누어 주었습니다. 엄마에게 남은 쿠키는 몇 개일까요?

풀이: (현호에게 주고 남은 쿠키 수)
= (엄마가 만든 쿠키 수) – (현호에게 준 쿠키 수)
= 350 – 127 = 223(개)
(엄마에게 남은 쿠키 수)
= (현호에게 주고 남은 쿠키 수) – (동생에게 준 쿠키 수)
= 223 – 136 = 87(개)

답 : __87개__

③ 연비네 학교의 3학년 학생 수는 271명이고, 2학년 학생 수는 3학년보다 36명 더 적습니다. 연비네 학교의 2학년과 3학년 학생 수는 모두 몇 명일까요?

풀이: (2학년 학생 수)
= (3학년 학생 수) – (3학년보다 더 적은 수)
= 271 – 36 = 235(명)
(2학년과 3학년 학생 수)
= (2학년 학생 수) + (3학년 학생 수)
= 235 + 271 = 506(명)

답 : __506명__

P 58 ~ 59

확인학습

✎ 알맞은 식을 쓰고 답을 구하세요.

① 꽃집에 백합이 338송이가 있습니다. 튤립은 백합보다 45송이 더 많고, 장미는 튤립보다 327송이 더 많습니다. 꽃집에 있는 장미는 몇 송이일까요?

식 :
```
    3 3 8        →      3 8 3
  +   4 5             + 3 2 7
  ─────────           ─────────
    3 8 3              7 1 0
```
답 : __710송이__

② 바닷가에 갈매기가 687마리 있고, 오리는 갈매기보다 237마리 더 적습니다. 바닷가에 있는 오리 중 156마리가 날아갔다면 남은 오리는 몇 마리일까요?

식 :
```
    6 8 7        →      4 5 0
  - 2 3 7             - 1 5 6
  ─────────           ─────────
    4 5 0              2 9 4
```
답 : __294마리__

③ 야구장 매표소에 관람객 503명이 줄을 서 있었습니다. 한 시간 동안 174명이 새로 줄을 섰고, 385명이 입장했습니다. 매표소에 줄을 서 있는 관람객은 몇 명일까요?

식 :
```
    5 0 3        →      6 7 7
  + 1 7 4             - 3 8 5
  ─────────           ─────────
    6 7 7              2 9 2
```
답 : __292명__

✎ 알맞은 식을 쓰고 답을 구하세요.

④ 채소 가게에 오이가 260개 있고, 가지는 오이보다 238개 더 많습니다. 채소 가게에 있는 가지와 오이는 모두 몇 개일까요?

식① : **260+238=498**

식② : **498+260=758**   답 : __758개__

⑤ 신발 가게에 신발이 365컬레 있었습니다. 일주일 동안 새로 들어온 신발이 94컬레이고, 판매한 신발이 287컬레일 때, 신발 가게에 남은 신발은 몇 컬레일까요?

식① : **365+94=459**

식② : **459–287=172**   답 : __172컬레__

⑥ 호랑이의 무게는 477 kg이고, 곰은 호랑이보다 135 kg 더 가볍습니다. 호랑이와 곰의 무게 합은 몇 kg일까요?

식① : **477–135=342**

식② : **342+477=819**   답 : __819 kg__

P 60

확인학습

◆ 알맞은 풀이를 쓰고 답을 구하세요.

⑦ 도서관에 여학생이 382명 있고, 남학생은 여학생보다 72명 더 많습니다. 도서관에 있는 학생은 모두 몇 명일까요?

풀이 : (남학생 수)
= (여학생 수) + (여학생보다 더 많은 수)
= 382 + 72 = 454(명)
(총 학생 수)
= (남학생 수) + (여학생 수)
= 454 + 382 = 836(명)

답 : _____836명_____

⑧ 옷 가게에 옷이 837벌 있었습니다. 이 중 459벌을 팔았고, 78벌은 반품으로 돌려받았습니다. 옷 가게에 남은 옷은 몇 벌일까요?

풀이 : (팔고 남은 옷의 수)
= (원래 있던 옷의 수) – (판 옷의 수)
= 837 – 459 = 378(벌)
(남은 옷의 수)
= (팔고 남은 옷의 수) + (돌려받은 옷의 수)
= 378 + 78 = 456(벌)

답 : _____456벌_____

P62 ~ 63

제한 시간 10분
맞은 개수 / 6개

✎ 알맞은 식을 쓰고 답을 구하세요.

① 716 더하기 200은 얼마일까요?

식:
```
  7 1 6
+ 2 0 0
  9 1 6
```
답: **916**

② 185보다 470 큰 수는 얼마일까요?

식:
```
  1 8 5
+ 4 7 0
  6 5 5
```
답: **655**

✎ 알맞은 풀이를 쓰고 답을 구하세요.

③ 민형이는 800원을 가지고 있고, 정훈이는 민형이보다 120원을 더 적게 가지고 있습니다. 정훈이가 가진 돈은 얼마일까요?

풀이: (정훈이가 가진 돈)
= (민형이가 가진 돈) − (민형이보다 더 적은 돈)
= 800 − 120 = 680(원)

답: **680원**

✎ □가 있는 식을 쓰고 답을 구하세요.

④ 수조에 물이 728 L 들어 있었는데 얼마가 줄어 426 L 남았습니다. 줄어든 물은 몇 L일까요?

식: **728−□=426**   답: **302 L**

⑤ 진희는 입학 시험까지 635일 남은 날부터 학원을 다니기 시작해서 입학 시험까지 257일 남은 날까지 다녔습니다. 진희가 학원을 다닌 날은 며칠일까요?

식: **635−□=257**   답: **378일**

✎ 알맞은 식을 쓰고 답을 구하세요.

⑥ 냉장고에 소고기 285 g, 돼지고기 625 g이 있었는데 햄버거를 만드는 데 고기 525 g을 사용했습니다. 냉장고에 남은 고기는 몇 g일까요?

식①: **285+625=910**

식②: **910−525=385**   답: **385 g**

P 64 ~ 65

제한 시간 10분
맞은 개수 / 7개

✎ 알맞은 식을 쓰고 답을 구하세요.

① 화단에 튤립이 430송이가 있었는데 295송이를 더 심었습니다. 화단에 있는 튤립은 몇 송이일까요?

식:
```
  4 3 0
+ 2 9 5
  7 2 5
```
답: **725송이**

② 엄마가 별사탕을 198개 만들었는데 150개를 더 만들었습니다. 엄마가 만든 별사탕은 몇 개일까요?

식:
```
  1 9 8
+ 1 5 0
  3 4 8
```
답: **348개**

✎ 알맞은 식을 쓰고 답을 구하세요.

③ 250보다 133 작은 수는 얼마일까요?

식:
```
  2 5 0
− 1 3 3
  1 1 7
```
답: **117**

④ 461과 643의 차는 얼마일까요?

식:
```
  6 4 3
− 4 6 1
  1 8 2
```
답: **182**

✎ 잘못된 계산을 보고 올바르게 계산한 값을 구하세요.

⑤ 어떤 수에서 309를 빼야 할 것을 잘못하여 더했더니 936이 되었습니다. 올바르게 계산한 값은 얼마일까요?

식①: **□+309=936**   어떤 수: **627**

식②: **627−309=318**   답: **318**

⑥ 어떤 수에 256을 더해야 할 것을 잘못하여 뺐더니 162가 되었습니다. 올바르게 계산한 값은 얼마일까요?

식①: **□−256=162**   어떤 수: **418**

식②: **418+256=674**   답: **674**

✎ 알맞은 식을 쓰고 답을 구하세요.

⑦ 윤하가 저금통에 있는 960원 중 770원을 꺼내 쓰고, 다시 450원을 집어넣었습니다. 저금통에 있는 돈은 얼마일까요?

식①: **960−770=190**

식②: **190+450=640**   답: **640원**

P 66 ~ 67

제한 시간 10분
맞은 개수 /7개

✎ 알맞은 식을 쓰고 답을 구하세요.

① 우상이는 밤을 229개 주웠고, 준우는 우상이보다 158개 더 주웠습니다. 준우가 주운 밤은 몇 개일까요?

식:
```
   2 2 9
 + 1 5 8
   3 8 7
```
답: 387개

② 국제 공항에서 오늘 출발한 비행기는 893대이고, 오늘 도착한 비행기는 출발한 비행기보다 345대 더 많습니다. 도착한 비행기는 몇 대일까요?

식:
```
   8 9 3
 + 3 4 5
 1 2 3 8
```
답: 1238대

✎ 알맞은 식을 쓰고 답을 구하세요.

③ 연못에 오리가 609마리 있었는데 123마리가 날아갔습니다. 연못에 남은 오리는 몇 마리일까요?

식:
```
   6 0 9
 - 1 2 3
   4 8 6
```
답: 486마리

④ 480쪽짜리 소설책 중에서 206쪽을 읽었습니다. 남은 소설책은 몇 쪽일까요?

식:
```
   4 8 0
 - 2 0 6
   2 7 4
```
답: 274쪽

✎ □가 있는 식을 쓰고 답을 구하세요.

⑤ 저금통에 70원을 더 넣었더니 저금통에 있는 돈이 960원이 되었습니다. 저금통에 원래 있던 돈은 얼마였을까요?

식: □+70=960   답: 890원

⑥ 산책길에 전나무는 은행나무보다 421그루 많은 534그루 있습니다. 산책길에 있는 은행나무는 몇 그루일까요?

식: □+421=534   답: 113그루

✎ 알맞은 풀이를 쓰고 답을 구하세요.

⑦ 마트에서 파는 당근의 가격은 830원입니다. 양파는 당근보다 170원 더 싸고, 감자는 양파보다 290원 더 쌉니다. 마트에서 파는 감자의 가격은 얼마일까요?

풀이: (양파의 가격)
= (당근의 가격) – (당근보다 더 싼 가격)
= 830 – 170 = 660(원)
(감자의 가격)
= (양파의 가격) – (양파보다 더 싼 가격)
= 660 – 290 = 370(원)

답: 370원

P 68 ~ 69

제한 시간 10분
맞은 개수 /7개

✎ 알맞은 식을 쓰고 답을 구하세요.

① 자운이가 가진 돈은 430원이고, 민서가 가진 돈은 270원입니다. 두 사람이 가진 돈은 모두 얼마일까요?

식:
```
   4 3 0
 + 2 7 0
   7 0 0
```
답: 700원

② 현수네 집에서 학교까지의 거리는 550 m입니다. 현수가 집에서 학교까지 갔다가 돌아오는 거리는 몇 m일까요?

식:
```
   5 5 0
 + 5 5 0
 1 1 0 0
```
답: 1100 m

✎ 알맞은 식을 쓰고 답을 구하세요.

③ 신애는 고무줄을 285개 가지고 있고, 은아는 신애보다 고무줄을 127개 더 적게 가지고 있습니다. 은아가 가진 고무줄은 몇 개일까요?

식:
```
   2 8 5
 - 1 2 7
   1 5 8
```
답: 158개

④ 쇠 막대의 길이는 385 cm이고, 나무 막대는 쇠 막대보다 98 cm 더 짧습니다. 나무 막대의 길이는 몇 cm일까요?

식:
```
   3 8 5
 -   9 8
   2 8 7
```
답: 287cm

✎ □가 있는 식을 쓰고 답을 구하세요.

⑤ 목장에 소가 555마리 있고, 염소는 소보다 더 많은 842마리 있습니다. 목장에 있는 염소는 소보다 몇 마리 더 많을까요?

식: 555+□=842   답: 287마리

⑥ 기차에 300명이 타고 있었는데 몇 명이 더 타서 740명이 되었습니다. 기차에 더 탄 사람은 몇 명일까요?

식: 300+□=740   답: 440명

✎ 알맞은 식을 쓰고 답을 구하세요.

⑦ 집에서 학교까지의 거리는 380 m, 학교에서 체육관까지는 225 m, 체육관에서 역까지는 265 m입니다. 집에서 학교, 체육관을 거쳐 역까지 가는 거리는 몇 m일까요?

식①: 380+225=605
식②: 605+265=870   답: 870 m

P 70 ~ 71

5회차 진단평가

제한 시간 10분
맞은 개수 / 6개

✎ 알맞은 풀이를 쓰고 답을 구하세요.

① 행사장에 풍선이 565개 있었는데 172개를 더 불었습니다. 행사장에 있는 풍선은 몇 개일까요?

> 풀이 : (풍선의 수)
> = (원래 있던 풍선의 수) + (더 분 풍선의 수)
> = 565 + 172 = 737(개)
>
> 답 : __737개__

✎ 알맞은 식을 쓰고 답을 구하세요.

② 미로는 체육관에 682일 동안 나갔고, 두기는 475일 동안 나갔습니다. 미로는 체육관에 두기보다 며칠 더 나갔을까요?

$$\begin{array}{r} 6\ 8\ 2 \\ -\ 4\ 7\ 5 \\ \hline 2\ 0\ 7 \end{array}$$

식 : 답 : __207일__

③ 도서관에 소설책이 925권, 위인전이 581권 있습니다. 도서관에 있는 소설책은 위인전보다 몇 권 더 많을까요?

$$\begin{array}{r} 9\ 2\ 5 \\ -\ 5\ 8\ 1 \\ \hline 3\ 4\ 4 \end{array}$$

식 : 답 : __344권__

✎ □가 있는 식을 쓰고 답을 구하세요.

④ 민수가 가진 스티커는 지예가 가진 스티커보다 54장이 더 적은 308장입니다. 지예가 가진 스티커는 몇 장일까요?

식 : __□-54=308__ 답 : __362장__

⑤ 우혁이네 반에서 색종이 670장을 사용하고 135장이 남았습니다. 우혁이네 반에 원래 있던 색종이는 몇 장이었을까요?

식 : __□-670=135__ 답 : __805장__

✎ 알맞은 식을 쓰고 답을 구하세요.

⑥ 문구점에서 파는 가위는 920원입니다. 딱풀은 가위보다 260원 더 싸고, 지우개는 딱풀보다 350원 더 쌉니다. 문구점에서 파는 지우개는 얼마일까요?

식① : __920-260=660__

식② : __660-350=310__ 답 : __310원__

"

The essence of mathematics
is its freedom.

"

"수학의 본질은 그 자유로움에 있다."

Georg Cantor, 게오르크 칸토어